KV-455-647

MANUEL VICENT

Del Café Gijón a Ítaca

Descubrimiento del Mediterráneo
como mar interior

MANUEL VICENT

Del Café Gijón a Ítaca

Descubrimiento del Mediterráneo
como mar interior

EL PAIS
AGUILAR

Juan Bravo, 38. 28006 Madrid
Teléfono (91) 322 47 00. Fax (91) 322 47 71

ISBN: 84-03-59476-3
Depósito legal: M-13.342-1994
Diseño de la colección: Jacobo Pérez Enciso
Diseño de cubierta: José Crespo y Rosa Marín
Coordinador editorial: Carmen Aragonés
Coordinador de realización: Víctor J. Benayas
Maquetación: Olivia Rojo
Impresión: Unigraf, S. A., Móstoles (Madrid)

Índice

En la vertical de Apolo

La púrpura del Egeo

Rodeado de grúas, carretillas, contenedores y turistas con visera, me encuentro en el puerto de El Pireo embarcado para eso que se llama un crucero de placer por la costa de Turquía y las islas griegas. Sobre el programa de mano, éste es el gran sueño de la clase media, un rito que redime a los salchicheros del Mercado Común y a los millonarios guachinangos de ambas Américas, ya que semejante travesía se vende acompañada de dioses, héroes, soles, templos, mares y chicharras de mucho prestigio dentro de una belleza de bote que une la mitología con un bronceado de calidad.

Hace unos días, hubo en este lugar un atentado contra un transbordador lleno de pasajeros. El terror aún planea como un grajo por encima de El Pireo. De hecho, todos los cruceros que parten hoy están casi vacíos. El barco en el que voy a navegar también zarpará a medio pasaje. No obstante, grupos de infatigables y osados turistas de pantalón corto, armados con el vídeo, lo abordan simulando la máxima felicidad, aunque, en secreto, unos y otros se vigilan al pie de la escala en el muelle para comprobar que no sube ningún elemento con una bomba envuelta en papel de estraza. Todas las tragedias son griegas, como se sabe. Estas aguas están hechas a cualquier clase de gloria, y eso significa que la sangre las ha cubierto infinidad de veces, pero hoy ya no existe un Homero que cante los crímenes vulgares con un himno prodigioso. De ser así, no me importaría morir para complacerle. Vivimos una época mediocre y por mi parte sólo espero que Circe no me convierta en un cerdo durante el viaje. Antes de partir formulo un deseo: que la púrpura del Egeo se deba siempre a la aurora y no al plasma de los inocentes. Éste es un diario de navegación. En él trataré de anotar los sentimientos y visiones que obtenga de la luz y de las tinieblas, de las personas y de los mármoles. Prometo dejar tranquilo a Zeus, aunque no a sus hijos, que fueron tan feroces, tan glotones.

Lo primero que uno hace cuando se embarca es abandonar el equipaje en el camarote y al instante echarse a recorrer cubiertas, salones, bares, puentes y espacios de recreo que la nave ofrece y comprobar sus virtudes. Uno llega hasta la puerta que se abre a las calderas, y entonces se detiene, vuelve sobre los pasos y comienza de nuevo. Todos los pasajeros realizan la misma ceremonia, de modo que esta revista se transforma en un desfile circular, casi obsesivo, que la gente aprovecha para verse la cara, sonreír cortésmente, saludarse con la cabeza, analizarse y atribuirse el papel que cada uno podría representar en la travesía. He aquí a la solterona romántica que saldrá de noche a cubierta para contemplar la luna; a los estentóreos californianos de carcajada metálica; a la familia de ricachones suramericanos compuesta de marido reverencioso, esposa remilgada, hijo adolescente gordo con prematuro reloj de oro e hija mimada llena de lazos. Pasa un grupo de abuelitas decoradas con polvos de arroz dispuestas a subir a la más escarpada ruina, incluida la propia; también se ve al sesentón de talante atlético ya desvencijado que no ha perdido todavía el aire de castigador. Sin duda, aquella señora es la que desprecia al marido y se enamora del guapo oficial. Luego están los niños, las parejas de enamorados, los falsos suicidas que miran demasiado el abismo de agua desde la borda, los que esperan encontrar una aventura de camarote, los demasiado finos, los horteras, los que cuentan chistes y la gente normal que sólo desea pasar unos días con suavidad. Un crucero es como la vida. Uno atraviesa el tiempo y el espacio entre compañeros de expedición que el azar depara. Luego cada uno se agrupa por afinidades electivas. Por lo que veo, este barco va repleto de almas sencillas, que son consumidores en buen estado dispuestos a ser humillados por los guías, a jugar con un globito, a disfrazarse de pachá, a derribar las tiendas de regalos y a trepar por los templos derruidos bajo un sol de justicia y el sonido de las chicharras. Así son las cosas, y no hay nada más que hablar. Para empezar, a mí me ha dado la bienvenida en el puente un sujeto de cartón piedra con toda la felicidad del mundo encima. Llevaba pantalón blanco, chaqueta azul, botonadura de ancla, dentadura postiza y peluquín. Me ha sonreído con destellos de tigre, me ha saludado oficialmente, me ha deseado buen viaje, y, mientras me hablaba, paralizaba la boca abierta y se echaba aerosol en el gaznate con un fumigador.

Cuentan que en la antigüedad los navegantes que llegaban a Atenas veían desde alta mar, brillando como una hoguera, la corona de oro de la diosa Palas Atenea sobre el perfil de la Acrópolis. Después de realizar las maniobras de desatraque, entre grúas y contenedores, el barco zarpa de El Pireo, y acodado en la borda de popa pienso en aquella imagen de fuego, pero en esta tarde bochornosa de julio la extensión terrosa de Atenas palpita a lo lejos bajo una calima tan sucia que me impide divisar la presencia de un dios ni siquiera dentro de mi alma. Los clásicos tenían un cielo de diamante y en aquel tiempo cualquier lejanía, también la interior, se hallaba siempre cerrada por el resplandor del mármol y de los metales más puros. A pesar de todo, la silueta desmochada de la Acrópolis y el monte Licabetos parecen navegar bajo la pasta del sol dentro del vapor de la ciudad.

El barco se aleja del puerto sobre las aguas en calma, y los perfiles de tierra comienzan a ser mentales o abstractos. Al poco tiempo creo adivinar a babor, allá al fondo, el acantilado del cabo Sunion que sustenta el templo de Poseidón, y a estribor aparecen las lomas oscuras de la isla Kea. Al barco lo siguen las gaviotas, y la brisa espesa que transporta el espíritu de la sal produce cierto placer morboso en el corazón, que no es sino el primer escalofrío al final de un día de sudor. Todos los atributos de un crepúsculo de lujo se hallan frente a mí: el sol está cayendo por detrás del Peloponeso, los montes Pentélicos son de humo, la bruma que exhala la invisible Atenas y también la superficie de la mar han adquirido los más acendrados matices del oro, se mantienen así durante un instante en suspensión y luego van decayendo lentamente hacia tonalidades violetas, malvas y toda la variedad del gris, y, mientras esas luces aún permanecen en mi cerebro, de pronto me doy cuenta de que ya navego en la oscuridad. Ahora en el bar está sonando un piano.

Abandono la cubierta y al entrar en el salón principal encuentro a muchos pasajeros disfrazados de elegantes: ellas visten de largo, ellos llevan esmoquin o se han adornado con prendas de marinería muy planchadas. Suena la orquesta. Una pareja de ancianos de Tejas baila en la pista con pasos de Fred Astaire aprendidos en una academia. Después, el capitán del barco da la bienvenida, presenta a sus oficiales, invita a una copa de champaña y a renglón seguido comienza la fiesta a bordo. Un hortera de bolera monta un concurso de globos en la sala de baile, pero refugiado en mi camarote yo sé que debajo de mí fluye el

Egeo. Esta noche el barco pasará entre las islas Euboea y Andros, con la proa rumbo a Lesbos, la patria de Safo, y mientras oigo el rumor de las hélices leo al azar rapsodias de la Odisea: cuando se descubrió la hija de la mañana, la aurora de los rosáceos dedos...

Después de pasar las tinieblas con Ulises en el cabezal, me he despertado al amanecer, y por el cristal de mi camarote que da a la cubierta de botes cruzan sucesivas figuras en calzones haciendo footing. Son americanos. El sol está saliendo por Anatolia, y enfrente, a babor, tengo la isla de Mitilini, la antigua Lesbos, con todos los perfiles dorados. Desde aquí parece un mineral con manchas verdes y sombras suaves que van cayendo hacia una mar lechosa sobre la cual ha vertido el sol todas las ánforas de vino. Ahí vivió Safo en el siglo VI antes de Cristo. Ahí compuso versos milagrosos. De ellos se conservan cuatro odas y algunos fragmentos de un lirismo deslumbrante. El resto se esfumó, pero el paisaje que había excitado su deseo lésbico permanece intacto.

A las ocho de la mañana, el barco ha tocado un punto de la costa de Turquía. Acaba de fondear en una bahía muy dulce y detrás aparece el puerto de pescadores de Dikili aún dormido. Una barcaza nos traslada al muelle, y a esa hora el pueblo tiene un aire deshabitado, pero en los bares de la explanada ya se ven algunos viejos silenciosos fumando pipas de espuma bajo bigotes como vencejos. Hay que visitar las ruinas de Pérgamo, que se hallan en la cima de un monte veinte kilómetros tierra adentro. El autobús atraviesa por la llanura campos de sésamo y algodón donde las mujeres trabajan en presencia de un varón que las vigila. El autobús comienza a trepar por una ladera polvorienta con cabras y enseguida se ven los acueductos, las calzadas romanas, el teatro de Dionisos, restos de murallas, columnas derribadas, lo que queda del templo de Trajano, del santuario de Atenea. Los baños y el gimnasio. Desde la sombra de una higuera contemplo el altar de Zeus. Como es lógico, Pérgamo fue famoso por sus pergaminos, los cueros curtidos de cabra que sustituyeron a los papiros. Su biblioteca contenía más de 200.000 rollos, con un esplendor que desafió al de Alejandría. Hoy, Pérgamo es célebre por sus garbanzos. Al pie del monte está el Asclepeion, sanatorio donde se inventó la psiquiatría. Sus ruinas se hallan ahora en el interior de un campamento militar, y, mientras me paseo por ellas, unos soldados con carros de combate tratan de tomar una loma desolada. Las chicharras cantan. Corre un ventarrón insoportable y sus rachas calientes son cañonazos.

Había momento de dejar en paz a Zeus. Esta y mi primera caída. No es posible. En Grecia Zeus es una garrapata muy dura.

A la una de la tarde el barco ha zarpado de la bahía de Dikili rumbo a Estambul, adonde arribará mañana al amanecer. Después de visitar Pérgamo he dejado sus ruinas a merced de las cabras y ahora navego el Ponto tomando té helado y sandía bajo un toldo en cubierta mientras contemplo la batalla de las olas. No comprendo cómo hubo en este lugar tantos filósofos por metro cuadrado si aquí todo está hecho para no pensar en nada. El cielo de Anatolia reproduce el fulgor de la harina que convierte cualquier cerebro en miga de pan. Por babor sólo fluyen islas deshabitadas, peñascos minerales. El sol sesgado penetra en el abismo de las aguas y lo talla como a una piedra preciosa. Hace aflorar a la superficie luces de esmeralda o de zafiro según sea el fondo de arena o de algas. Suena una música de sirtaki que en este espacio es la sustancia de las cosas amadas y con la proa puesta hacia Troya devoro esta sandía en medio de la mar.

Alrededor de la piscina a esta hora muchos pasajeros toman el sol y cada tumbona parece un altar con una víctima propiciatoria que algún dios se zampará. Creo que es la última ceremonia religiosa auténtica que queda en el occidente industrial: desnudarse, ungirse el cuerpo con aceite, tenderlo sobre una toalla, esperar a que se queme y no desear nada más. Supone un privilegio asistir a este sacrificio en mitad del Egeo, donde se engendraron las sensaciones que aún nos conmueven. Sin duda, esos adolescentes que gritan, se empujan y chapotean en la piscina ignoran que este solario es un templo antiquísimo. En el primer día de crucero la gente ha sacado al aire sus mantecas para inmolarlas a Apolo. Aquí están. Miradlas. Una sacerdotisa de Oklahoma apenas puede palpitar bajo el kilo de crema; apostaría algo a que esa vestal mexicana ya está muerta aunque mantiene todavía en la mano una piña colada. El pasaje se halla derrumbado boca arriba en las tumbonas, todos desnudos y lechosos como patatas nuevas. Su silencio es terrorífico pero no hay uno que no confíe en ser devorado por la belleza.

Al caer la tarde a uno y otro costado del barco, a pocas millas de distancia, aparecen unas colinas en la oscuridad del contraluz. Es el estrecho de los Dardanelos que abre el mar de Mármara. En una de las lomas estuvo asentada Troya. Puesto que en esta travesía me veré obligado a asistir a todos los crepúsculos me felicito porque el segundo de ellos haya desplegado su gloria en este punto tan estratégico. El sol ahora está cayendo por la Tracia y sobre las aguas de cobre miro las lomas que conocieron la cólera de Aquiles. La Iliada es el primer cantar de ciego. Cuando uno pasa por este canal comprende que los hombres se hayan matado sin límite desde el inicio de la historia por controlarlo. En esos montes seguramente habrá varios estratos de cadáveres y los que reposan en la capa ínfima serán aquellos héroes que cantó Homero. La guerra de Troya fue una degollación llevada a cabo por héroes desnudos que trataban de apoderarse de este paso marítimo para asegurar el tráfico de garbanzos y

En aquel tiempo las lanzas tenían ojos. Sólo era ciego el furor de los guerreros.

metales. Un asunto tan vulgar lo transformó aquel poeta ciego que cantaba en las esquinas de Asia Menor rapsodias inmortales donde no había hazañas sin cuchillo ni honor sin sangre ni dioses que no estuvieran siempre airados. Sus versos elevaron las pasiones de los hombres hasta la más recóndita perfección.

Durante la navegación de los Dardanelos anochece y cuando el barco llega al mar de Mármara comienza la cena de gala a bordo. Los pasajeros acuden al puente principal y allí el fotógrafo de guardia dispara contra grupos familiares vestidos de seda, parejas de recién casados, princesas en traje largo que son hijas de abarrotero, pequeños galanes con acné y pajarita, caballeros de esmoquin que llevan detenidas del brazo a unas señoras cubiertas de lentejuelas. Da la sensación de que todos quieren ser ingleses aunque se les nota demasiado la felicidad. Desde el camarote oigo la música de la fiesta que sigue en la sala de baile. Allí estará la pareja de tejanos sacando los colores a Ginger Rogers y a Fred Astaire, y sin duda habrá regalos, rifas, concursos y atracciones, el número de ventrílocuo, la danza de los siete velos, el chistoso con chistera y sonarán las carcajadas de la clase media mientras las cuadernas de la nave crujen en la oscuridad.

Al despertar he comprobado que estaba en Estambul. El barco ha atracado en el muelle Karakoy. Aparto los visillos del camarote y ahí enfrente se levanta el edificio de la aduana. Salgo a cubierta desde donde puedo ver muy cerca el puente Galatas cabalgando sobre el Cuerno de Oro. La escala en Estambul va a durar sólo nueve horas y en ellas me propongo hacer el papel de perfecto turista: visitaré Santa Sofía, me daré un atracón de mezquitas, pasearé por el Gran Bazar, sortearé nubes de niños que venden postales, tomaré una brocheta de carne picada y finalmente comprobaré una vez más que todos los turcos llevan bigote. Estoy seguro de que no me saldré del carril.

En realidad he vuelto a recorrer el mismo camino de otras ocasiones. Primero he contemplado desde el Bósforo la silueta de la ciudad antigua erizada de minaretes sin poder evitar la emoción y enseguida me he echado a la calle arrastrado por las reatas de turistas. En el interior de Santa Sofía volaban dos palomas extraviadas dándose cates contra los iconos de la galería, en el palacio de Topkapi estaban intactas esas esmeraldas que con el tiempo alcanzarán la dignidad de las botellas de coca-cola, en la mezquita de Solimán el Magnífico he rezado por mi salvación, en la Mezquita Azul había un grupo de fieles mahometanos comiendo albóndigas sobre alfombras del siglo XIV, en el Gran Bazar he oído el siseo ladino. En el Gran Bazar reinan los sefardíes sobre todas las joyas. Por las galerías suenan con acento toledano palabras castellanas que aún son del Siglo de Oro y en los túneles iluminados por reflejos de diamante se ven muchos rostros aguileños, miradas muy melancólicas, pescuezos muy macizos, belfos inflamados. Uno puede darse a la fiebre oriental, aunque Estambul no huele a estiércol del Medioevo que acompaña desde siempre a la religión mahometana. El hedor de Estambul proviene del detritus casi industrial, de la putrefacción del plástico, de la herrumbre de toda una generación de electrodomésticos. Los caparazones de las mezquitas parecen gigantescas tortugas entre el destartalamiento general pero el aire sucio de la ciudad será el crisol de oro en el crepúsculo.

Confieso que la primera vez que vine a Estambul no logré superar la inquietud que me producían algunos rostros. Sin duda ciertos bigotazos que vuelan aquí sobre facciones de cuchillo pueden amedrentar a los espíritus pusilánimes, pero si uno conoce mejor a este pueblo, al tercer día descubre que los turcos tienen un alma muy delicada que no ahorra cualquier matiz de la ternura bajo un aspecto feroz o demasiado varonil, por decir algo. En Estambul uno debe dejarse de remilgos, inmiscuirse con la gente, participar en el ruido, extasiarse en el humo de cordero asado dentro del cual florecen los ombligos de todas las huríes. Hay que pegarse un baño turco y no perderse una puesta de sol que es uno de los espectáculos más acreditados de la tierra.

Después de comprar la inevitable sortija en el Gran Bazar me he dejado caer por el mercado egipcio que va de bajada hasta el Cuerno de Oro. Es el zoco de siempre con las telas y la quincallería sabida y allí da la impresión de que lo importante no es vender sino gritar. Los comerciantes se excitan mutuamente con los alaridos y en medio del pasillo discurren los pelotones de turistas armados con cámaras fotográficas, las cuales ametrallan todo lo que se mueve. Así he llegado a la embocadura del Cuerno de Oro hasta encontrar las escalinatas de la Mezquita Nueva.

La visión es sorprendente. La multitud fluye sin parar sobre el puente Galatas, que une la parte antigua con la ciudad nueva, aunque no con la asiática. Colgados de los hierros debajo de su arco hay muchos restaurantes en forma de taquillones y junto a los muelles, en las barcas, los pescadores venden caballas dispuestas por ellos en abanicos sobre esteras. Esta encrucijada de Estambul es muy turística, pero es real. El caldo de la vida pasa por ella muy espeso y para el que tenga gusto de clasificar las pasiones que el ser humano lleva en la cara este punto constituye el mejor observatorio. El Estambul que amo es ese maravilloso y putrefacto: el olor de alfombra cruda en las tiendas profundas, la acidez del sudor de las personas, el laberinto hebraico del Gran Bazar, el frescor de las mezquitas, la cochambre de sus basureros, de donde puede brotar el más airoso minarete. No amo las esmeraldas ni los alfanjes de pedrería ni las vestiduras labradas que adornaron al sultán, sino las lámparas votivas cuyo sebo ardiente iluminó la penumbra de Santa Sofía durante 1.500 años.

Hay una esencia de las cosas que también es turística.

Es el final de la tarde. Las sirenas de los transbordadores suenan en el Bósforo. El barco está zarpando a esta hora del crepúsculo rumbo a Éfeso. Desde la borda contemplo todo el sol depositado en el Cuerno de Oro. Detrás de las mezquitas el cielo es una especie de zumo y los minaretes están envueltos en una maraña de golondrinas. El barco se aleja por el mar de Mármara y a lo lejos Estambul ofrece la silueta de erizo tantas veces repetida que se ha transformado ya en una categoría de la mente.

En aquel tiempo, las olas golpeaban las escalinatas del templo de Artemisa, y toda la llanura de sésamo y algodón que ahora se divisa desde la derruida biblioteca era entonces un mar navegado por los trirremes y veleros que partían o llegaban al puerto de Éfeso. Después de desembarcar en el malecón del pueblo turco de Kusadasi, frente a la isla de los Pájaros, he tenido que atravesar esta tierra de aluvión durante media hora en autobús hasta alcanzar, al pie de unas colinas en forma de anfiteatro, las ruinas más famosas de Asia Menor. Se trata de un inmenso pedregal. Pero en Éfeso quedan intactas las letrinas públicas que fueron usadas por Heráclito, Cleopatra y san Pablo, entre otros. Las letrinas y la casa del amor son los únicos establecimientos de este glorioso derribo que no requieren imaginación. Son evidentes. Envuelto en la sábana con una paletilla al aire, por aquí andaría aquel filósofo dando la tabarra a la gente con eso de que todo fluye y nadie se baña dos veces en el mismo río. En la vía de Mármol se encuentra la primera valla publicitaria de la historia: un reclamo del prostíbulo con la dirección y la lista de precios, grabados con buril en una losa de la calzada. En esta ciudad fundó san Pablo la principal Iglesia del naciente cristianismo. Aquí trajo san Juan a la Virgen desde Jerusalén, y ella murió en esa loma de enfrente, donde a la sombra de una higuera, en el año 431, se reunió un concilio ecuménico para declararla Madre de Dios contra el parecer de Nestorio, patriarca de Constantinopla, que fue condenado.

Los prostíbulos de Amsterdam, los famosos escaparates, también tienen la lista de precios a la vista. Los han copiado de Éfeso.

Sobre todas las cosas, Éfeso era entonces el lugar sagrado de Artemisa, la diosa Diana de los romanos, protectora de la naturaleza, reina de la ecología. Su imagen de ébano se veneraba en el interior de un templo de 127 columnas, una de las siete maravillas del mundo, y ese santuario tenía a su disposición el mejor servicio de vestales, sacristanes, músicos, acróbatas, ofrendas, cirios y venta de escapularios y medallas milagrosas. El mar llegaba a sus pies. De todos los puntos de la Hélade acudían barcos de peregrinos a rendirle culto a la diosa, y los mercaderes hacían grandes negocios bajo su mirada. Resulta inquietante que, más de 2.000 años después de eso, el papa Pablo VI arribara también a este valle para celebrar un rito idéntico ante la figura de la Virgen María. Existen centros muy magnéticos en el planeta. Éfeso es uno de ellos.

Sin embargo, por aquí no se veía ningún hippi, varado, como en tantos otros lugares magnéticos del planeta.

A las cuatro de la tarde, sentado en una columna derribada, cae sobre mí toda la crueldad del sol, me aturde un poco el violento perfume de unas hierbas secretas, las chicharras cantan de un modo frenético, y en medio de la luz vigorosa que acuchilla el polvo de Éfeso trato de recordar cómo era el mar esta mañana. Me he despertado cuando el barco tenía a estribor la isla de Kíos. El mar parecía una extensión de leche con levísimas gamas grises, doradas, azules, y el horizonte estaba empastado por un dulce de calabaza y la brisa poseía la densidad de la mejor carne femenina; pero, a medida que el día se levantaba, el agua fue adquiriendo el carácter de una fundición de muchos metales, sobre todo de plata, que ya me golpeaba los ojos, y bajo el firmamento, sin una nube, las islas de pedernal que navegaban conmigo comenzaron a arder.

Esta mezcla de pastelería y platería es excesiva.

Durante la mañana he realizado abluciones paganas, he leído páginas de la Odisea, he asistido al juego amoroso de una pareja de homosexuales en cubierta, a los que tal vez Apolo había transido, y, mientras tanto, los pasajeros han utilizado este tiempo para creerse inmortales. Unos ya tienen quemaduras de segundo grado, otros se pasean con una clámide de rebajas, algunos duermen en las tumbonas y muchos ya están borrachos. He desembarcado en la isla de los

Pájaros, unida al pueblo de Kusadasi por un espigón lleno de gaviotas donde atracan barcas de pesca color rosa, y enseguida he subido a Éfeso, y aquí estoy ahora con el cerebelo a punto de estallar. Palestras, ágoras, el gimnasio de las niñas, la plaza de Domiciano, la fuente de Pollio, avenidas con pórticos derrumbados, estatuas guillotinadas, dioses, filósofos y emperadores sin nariz, cisternas, arquitrabes, frontones y gradas de teatro y odeones forman este cementerio de mármol que me rodea, y cada columna es una llamarada, cada piedra es una brasa. En el interior de esta fragua, convertida ya en un espacio mental, imagino a san Pablo subiendo por la avenida del puerto entre garitos de juego y el trajín de los comerciantes. Con las sandalias polvorientas y la túnica a rastras, viene a predicar a un Dios invisible que no se fabrica con las manos.

El platero Demetrio se da cuenta enseguida del peligro que supone para su negocio las cosas que dice ese judío bizco no sólo en la sinagoga a extramuros, sino en los corros del ágora y en las tertulias de las escalinatas donde la gente come uva filosofando. Demetrio preside el gremio de imagineros, que tiene en exclusiva el derecho de reproducir, vender a los devotos y exportar las figuras de Artemisa. Si Dios es invisible, ellos acabarán en el paro, y a partir de ahí comenzará el hambre. El teatro de Éfeso conoce un motín contra san Pablo; éste pone el mar por medio, huye a Antioquía, y los ciudadanos aclaman a sus dioses materiales con ovaciones alentadas por los plateros, pero el cristianismo, con los siglos, fue inoculando la culpa en el corazón de estos seres, pudrió la claridad pagana, y después el tiempo, que todo lo transforma, se encargó de llevar la religión a un punto intermedio: Artemisa se convirtió en la Virgen María, y con ella, el amor puro y el comercio de imágenes ha llegado a nuestros días. El concilio de Éfeso, celebrado bajo una higuera en esa colina de enfrente, en el fondo, no hizo sino armonizar las exigencias de la espiritualidad con los intereses de la orfebrería.

El autobús va por esta campa que antes fue mar hasta las escalinatas del templo de Artemisa, del cual sólo resta una columna erguida. Se ve más allá la tumba de san Juan, encima de un teso calcinado, y desde aquí, sus descarnados paredones en ruinas parecen un aprisco. Al llegar a Kusadasi, me encuentro con un pueblo que es todo bazar para turistas. Huele a alfombra, a higo seco, a plástico de dioses recalentado, a espesos dulces de miel. El barco zarpa, y apenas la costa de Turquía se difumina en la popa, al instante aparece por proa la sombra de la isla de Samos, patria de Pitágoras, refugio de apóstoles, una tierra que fue célebre porque en ella un sacerdote desconocido tuvo la idea de convertir el vino en la sangre de Dios.

Contemplando las noches estrelladas, allí Pitágoras transformó los números en armonía. Ahora, esta isla parece un gran mineral abandonado en medio del mar. Tiene un color ocre bruñido por los radiantes vientos que bajan del Norte, aunque los acantilados y algunas sombras convexas de las barrancas se funden en el aire con un color violeta.

Después de unas horas de navegación, mientras a estribor comienza a vislumbrarse la isla de Patmos, en la cafetería del solario hay una fiesta con globos, y todo el mundo se ha disfrazado de griego, se beben licores de la tierra y las ínclitas menopáusicas ensayan pasos de sirtaki en brazos de camareros de acreditadas patillas. Estoy de acuerdo. Hay que ser feliz a toda costa. Uno se ve obligado a cruzar este espacio haciendo el ganso, a pesar de que en esa roca de ahí enfrente, que se llama Patmos, se escribió el Apocalipsis. ¿Qué es el Apocalipsis ahora? Una serie de efectos especiales para una película de Coppola. He tenido suerte de nuevo. El crepúsculo de rigor hace aquí su representación, de modo que es fácil imaginar a los ángeles que tocan trompetas de plata anunciando el juicio final. Del fondo del mar veo salir los cuerpos de todos los que naufragaron en esta latitud, y con ellos suben serpientes aladas que forman en el aire una especie de catafalco donde vamos a ser condenados. No obstante, los pasajeros comen musaka, bailan una especie de sardana a la griega y al contonearse parece que se desperezan, y entre risotadas infantiles a cargo de los americanos, todo acaba en una conga alrededor de la pis-

Cuando el verdadero Apocalipsis suceda, será grabado en video casero por millones de turistas.

cina. Está bien. Después de todo, eso no es motivo suficiente para ir al infierno, aunque le falta poco. El Apocalipsis puede continuar. Mientras, el sol, desde el horizonte, convierte en una antorcha el pedernal de Patmos, voy con la proa hacia la clara Rodas por el espacio de las Espóradas, y cuando anochece del todo, la fiesta sigue en el salón principal. Una orquesta hace sonar musiquilla de El Pireo, y la tripulación ofrece al pasaje un conjunto de canciones y danzas que calientan el corazón de las benditas abuelitas, de los enamorados, de los solitarios y de cuantos saben que lo mejor de la vida ya se les ha ido de las manos. Juego al black jack contra una tigresa de uñas afiladas. Pierdo. Me voy a dormir, pero antes de apagar la lamparilla del camarote leo este fragmento de la Carta de Pablo a los Efesios: «Porque la verdad es que en otro tiempo no erais sino tinieblas, mas ahora sois la luz». De acuerdo. Ahora navegaré las tinieblas. Mañana será Rodas.

Conocí Rodas por primera vez un otoño, cuando las parras eran rojas y los gatos dormían encima de las motocicletas, y el rebuzno de los asnos llegaba por el silencio de las callejuelas hasta lo alto de la fortaleza del Gran Maestre. Las cabras también estaban encaramadas en la muralla. Los viejos tomaban un sol amoroso, ese que ya no tiene moscas, en la rotonda de la pescadería donde un pope y tres fieles ortodoxos jugaban al tute con naipes húmedos de anís. Los restaurantes, tabernas y hoteles habían cerrado; las farolas habían sido cubiertas con plásticos para el invernaje, y el sonido de las barcas de pesca que entraban en el puerto de Madraki hacía vibrar el aire extasiado. Sólo quedaba en la isla alguna dama madura, de tipo anglosajón, a cargo del macarra de guardia, y profesores inciertos en año sabático, que podían ser igualmente los criminales más buscados en su país de origen. Entonces imaginé el espectáculo de esta isla en verano: las oleadas de carne que vendrían a asarse en esta parrilla acarreadas en vuelos de agencia. Aquí están. Rodas tiene ahora el paisaje de los cuerpos.

A mitad de la travesía por el Egeo, uno se encuentra ya empachado de dioses, de modo que agradece arribar a una tierra donde no queda ni uno. En Rodas hubo miles de estatuas, y la más famosa fue el Coloso, de cuyo bronce caído salieron las mejores cacerolas del Mediterráneo, pero todo eso se lo llevó el ventilador de la historia. Rodas es una isla laica ahora. Sus restos son medievales y además han sido restaurados por los italianos como un decorado para una función de caballeros de San Juan. El barco ha llegado al amanecer y el orden del día consistía en ir de excursión a Lindos, visitar el valle de las mariposas, hacer de perro detrás del guía. Me he quedado en la ciudad. Y en ella me he dejado llevar por las sandalias, las cuales, en primer lugar, me han conducido al pie de las columnas de la bocana del puerto, que contienen los famosos gamos en el capitel. Allí me he echado un poco de agua en el pescuezo con una cantimplora, para bautizarme una vez más como explorador de segunda, y a continuación he vuelto a recorrer el circuito que conduce por la empedrada calle de los Caballeros hasta los paredones del palacio. A la sombra de un pino que emerge del patio medieval contemplo Rodas con el trajín de las barcas. Si cierro los ojos, una luz de cal me traspasa los párpados, pero eso no me impide pensar en los azules caminos del mar. Por esta isla han pasado todos. Primero fueron los extraterrestres; luego, los monos, seguidos de los descendientes de Adán. Hubo un desfile de fenicios, aqueos, dorios, helenos, romanos, godos, árabes, genoveses, catalanes, venecianos, otomanos, italianos, griegos actuales, y ahora, de nuevo, Rodas está en poder de los extraterrestres, que son esas bandadas de rubios en pantalón corto con el petate plegado dentro de un macuto en la espalda. Lo devoran todo, se alimentan de ruinas, duermen en la vertical de su cansancio con los ojos en llamas, trepan por las escalinatas, van dejando un hedor a zapatilla podrida, pero les salva la propia soledad. La verdadera plaga moderna está constituida por los turistas de agencia. Es uno de los grados inferiores de la dignidad humana. Pero no hay que ser demasiado exigentes. Cicerón también vino a esta isla a veranear. Llegó con un grupo de patricios conducido por una guía que le explicó vaguedades acerca de los dioses indígenas.

En Rodas, las playas están abarrotadas con la carne más hermosa de Escandinavia, y sobre esa extensión de cuerpos desnudos creo escuchar un salmo de tinieblas. Me pierdo por los vericuetos de la parte antigua, donde hay menestrales trabajando en pequeños talleres y huele a tahona. Los perros duermen a la sombra de los tenderetes de postales y recuerdos, las chicharras cantan, dentro de los sacos ronca al sol una ristra de nórdicos, todo el mundo está sudando, el cielo es de fuego. Bajo el emparrado de la taberna de Alexis, en la calle de Sócrates, tomo unas ostras rodeado por un plantel de gatos, y ya no hay más.

Al atardecer, cuando las murallas medievales de Rodas adquieren un dorado de pan candeal, el barco zarpa rumbo a Creta, y en el puente, un animador de molde reparte a los pasajeros disfraces para la fiesta de esta noche. No creo que haya en el mundo aguas más azules, más deseadas. La travesía de Rodas a Creta es una aspiración de belleza, un sueño de la mente, pero ya no existen trirremes cargados de ánforas vinarias, sino cruceros de placer donde cualquier impostor de la felicidad impone sus gustos. Lo doy todo por bien empleado si puedo volver a ver al príncipe de los lirios en el Museo de Heraclión y el fresco de los delfines en el palacio de Cnossos. Mientras, de

Yo también soy un turista de agencia, pero no soy Cicerón. Qué más quisiera yo. Cicerone es el guía.

noche, el barco navega sobre la sima más profunda del Mediterráneo y sigue la ruta sagrada de aquellos mercaderes que inventaron la libertad, juego al black jack con la tigresa de uñas afiladas para interrogar al dios que esté a mano. En la sala de baile, algunos pasajeros saltan en la pista con narices de cartón, vestidos de pachá o de odalisca de Guanajuato. La tigresa me ha limpiado hasta el alma. A cambio de eso, mañana la vida me hará un buen regalo: podré contemplar otra vez aquellas muchachas azules que florecieron en la civilización de Minos.

Creta es una isla con cordilleras traspasadas por la luz que desciende del monte Ida, en cuya cúspide danza la ninfa Idea, y su paisaje está lleno de valles con pequeños pueblos entre limoneros, donde puede verse a un pope cabalgando a un pollino en dirección a la iglesia, pero la ciudad de Heraclión es un lugar destartalado y el barco ha atracado en este puerto sólo porque a cinco kilómetros de distancia se encuentran los residuos del palacio de Cnossos, asentados sobre el laberinto del Minotauro. Hay que ser muy bello por dentro para merecer estas ruinas. Aquí se creó oficialmente el derecho del hombre a ser feliz. En Cnossos no había murallas, sino diosas de arcilla que exhibían el sexo inflamado.

Sin duda, míster Evans, el arqueólogo inglés que afloró estas piedras, era un tipo muy amable. Mandó plantar pinos y construyó un túnel de buganvillas que dan una sombra violeta. Desde esa sombra admiro las columnas de color sangre con capiteles negros, algunos frescos con vírgenes oferentes y diversas escalinatas, y de pronto me viene a la memoria aquella mañana de primavera, cuando, estando yo en este mismo lugar, se desató una tormenta de carácter olímpico y comenzó a caer granizo entre relámpagos azules en forma de corona. Bajo la oscuridad de las nubes, todas las ruinas del palacio de Cnossos se cubrieron de hielo. Pero la tormenta cesó. Salió otra vez el sol, con gran vigor, y al iluminar el granizo, todo este laberinto brilló como un diamante y fui cegado por un momento, y de aquel esplendor todavía no me he recuperado. Ahora cantan las chicharras, y este valle de viñedo y cipreses, que antes era alveolo de un río con barcazas llenas de sacerdotes, aún está a merced de mirlos y alondras.

Poco importa que no sea cierto. En Creta nació Zeus, aquí se uncieron los bueyes por primera vez, y en sus restos no se encuentran espadas, ni lanzas, ni bastiones, sino vasos rituales, joyas de oro, tablillas con signos misteriosos e imágenes de deportes sagrados, delfines, fiestas en los jardines, muchachas coronadas de guirnaldas, mancebos jugando al toro. Noventa ciudades había en Creta y ninguna tenía murallas, ya que su poder en el mar era absoluto, y eso permitía a aquellos seres desnudos bajo el sol adorar sólo a la diosa de la fertilidad. Minos era un rey legislador y su paz duró mil años.

Otra vez Zeus. Qué tiranía.

Esta civilización que fecundó a Micenas tal vez se constituye en un sueño de perfección. Aquí no existen los héroes de mármol. Todas las grandes batallas se libran en Creta dentro de una vasija de cristal de roca decorada con marfil dorado en el cuello y un asa de perlas. He vuelto a admirar el sarcófago de Aguia Triada, con sus frescos de ceremonias funerarias; los pájaros azules y los acróbatas taurinos; los jóvenes minoicos de delgada cintura que portaban ritones en las procesiones de primavera; las abejas de oro libando una gota de miel; la famosa parisién sacerdotisa de la diosa de las serpientes; los toros, que eran el símbolo de la fecundidad de la Tierra. En efecto, esta gente parecía muy feliz. Estaba envuelta en perfumes agrestes y colores delicados. Trabajaba sobre materiales domésticos y cabalgaba delfines. Recibía la muerte como una coronación, después de navegar toda la vida en el tráfico de mercancías. Pero de repente todo terminó de forma abrupta. No lejos de Creta, una noche sonó un terrible zambombazo y las entrañas del Egeo se abrieron. El terremoto de Santorini levantó la mar doscientos metros. Primero el volcán cubrió de cenizas este palacio de Cnossos; a continuación llegó la lengua de agua. La civilización de Creta quedó aniquilada para siempre en sólo media hora. La felicidad se fue para abajo. Y desde entonces todavía está en la memoria.

Bajo el sol de mediodía, el barco ha zarpado de Creta, con la mar picada, rumbo a la isla de Santorini, y, según la leyenda más acreditada, ahora estoy navegando sobre la Atlántida sumergida. Varias ciudades reposan en el fondo de estas aguas, y yo debería conmoverme, pero lejos de eso, en cubierta tomo unos tacos de arroz envueltos con tiernas hojas de vid mientras el oleaje zarandea la nave y la absoluta claridad traspasa la espuma a cuchillo. El viento trae mucha sal. Todos los fulgores son blancos y azules. Me escuecen los ojos y no hay nubes ni delfines. Cuentan los marineros que los delfines son tan amables que, si te ven naufragar, te cogen en brazos y te llevan a casa. A babor se divisa la silueta ocre de unos pedernales con gaviotas, y en el solario suena música griega, esa melodía de Zorba que hace llorar.

Después de cuatro horas de travesía, durante la cual han crujido todas las cuadernas y mamparos, por fin el barco ha entrado en las calmadas y transparentes aguas del cráter de Santorini. Una reunión de islas cortadas a pico forman un inmenso círculo, cuyas paredes son de lava, y en el centro a veces aún humea el volcán que acabó en media hora con una civilización de mil años. Sin embargo, aquel cataclismo del infierno dejó el paraje preparado para que un pueblo pintoresco quedara colgado del acantilado, y, si uno desea llegar hasta él, tiene que cometer la villanía turística de montar en burro, aunque también hay un funicular para la gente normal. He subido a Santorini, que es una hilera de cubos encalados encima de una breña carbonizada. Desde allá arriba he podido imaginar la brutalidad del golpe. Realmente Saturno hizo aquí una de las suyas.

Existe una mala literatura acerca de los placeres del Mediterráneo. En esta latitud navega muchas veces Dionisos con un racimo de moscatel en la oreja sobre un mar de dulzura, pero también se ha dado aquí todo el muestrario de bestialidades a cargo de la naturaleza y de los hombres. El zambombazo de Santorini fue tan cruel que no quedaron poetas ni músicos para cantarlo.

Por lo demás, esta isla participa de la estética minoica de Creta, según se deduce de las excavaciones de Akrotiri. Los murales con sacerdotisas, muchachas danzantes, adolescentes con lirios, jóvenes boxeadores, frescos con procesiones rituales, vasijas, toros, cerámicas y ritones son idénticos. No obstante, de Santorini, a uno sólo le sobrecoge la geología. Estas aguas ahora tan sosegadas tienen un cariz fúnebre y mineral, media mitología yace debajo de ellas, y cuando el sol las penetra en los días claros aparecen sombras de palacios submarinos, avenidas con pórticos, templos en cuyas escalinatas hay muchos Sócrates ahogados que nuestra cultura no ha conocido. En Santorini, por el borde del abismo, suben y bajan los burros llevando una albarda en forma de turista a la cumbre. El crepúsculo cae sobre estos animales, la última luz también prende las paredes de lava y el acantilado parece una fragua. Por ella ascienden los burros hasta la oscuridad.

Esta noche hay cena de gala a bordo, y algunos pasajeros lucen la mejor pañería, el oro comienza a trepar por las pechugas bronceadas y algunas perlas caen sobre las raciones de langosta. Después, la gente bailará hasta la madrugada, mientras el barco pase entre las islas de Paros y Naxos, para alcanzar cuando llegue la aurora de rosáceos dedos el lugar sagrado de Delos, patria de Apolo, el centro de las Cícladas. Pero esto no es sino el sueño inútil que uno hila con la mente en el camarote. La verdad de la vida consiste en el número de ese ventrílocuo que ahora está en la pista sacando carcajadas a los californianos.

A las siete de la mañana he apartado los visillos, y dentro del fogonazo de sol he visto un maravilloso pedernal. El barco está fondeado en aguas muy azules. Toda la visión cegadora la ocupaba esa colina pelada de color ocre, y ante ella no he podido evitar cierta emoción de bachillerato. Llegar a Delos es una de las aspiraciones del alma moderna. Nadie podría presumir de pagano en una discoteca de moda si antes no ha pasado por este lugar, donde, en el lago de Apolo, los hombres se bautizan de guapos. Una barcaza me ha llevado hasta el pequeño atracadero formado por un solo espigón, y a partir de ahí he iniciado el camino de perfección por la falda del cerro, bajo la brisa del meltemi que doblaba las briznas de anís entre las ruinas. Delos fue una isla errante que Zeus fijó con cadenas de diamantes. Aquí nació Apolo. Debajo de su santuario estaba el tesoro de la Liga Helénica. Éste fue punto de peregrinación. Nadie podía nacer ni morir en este espacio, ya que la vertical de la belleza caía sobre estos roquedales perfumados, pero ahora la isla es un inmenso pedregal deshabitado, y esta mañana yo lo crucé con el fondo de la nariz lijado por el espliego.

Primero he visitado la parte civil, las derruidas mansiones de los prohombres que la habitaron, y en ellas he visto mosaicos con dioses alados cabalgando un tigre en la casa de las Máscaras, tritones y delfines, columnas, peristilos y frescos con figuras oferentes. En la fuente de Minoé había una rana viva, y lo demás eran palacios caídos, templos que sólo existen en la imaginación, palestras con hierba hasta la rodilla y la famosa terraza de los leones con las fauces roídas por el tiempo y el viento que bruñe el cielo y las piedras.

Después de todo, uno llega a la conclusión de que Grecia no existe. Sentado en medio de las ruinas de Delos, he visto el mar azul, los grises minerales, el aire transparente, el firmamento durísimo sin una nube, el contraluz de la sal. Como una pauta de la mente, la vertical de Apolo caía sobre mí, pero esto no dejaba de ser un peligro. Los dioses antiguos, hoy, se han convertido en marcas de cremas, de colonias y de masajes para después del afeitado, de modo que, si uno entra en el juego de la estética, puede acabar de maricón en Mikonos. Hay que dejar que Apolo sólo sea una aspiración en los momentos dulces, de siete a nueve de la tarde, frente a una copa en el crepúsculo de la ciudad. El resto del día, uno tiene que trabajar.

Apenas dos horas de navegación separan a Delos de la isla de Mikonos, y cuando el barco fondea aquí es mediodía y el sol lo aplasta todo. La brisa perfumada de salitre que soplaba esta mañana junto al invisible altar de Apolo se ha convertido en un ventarrón que transporta el fuego. Mikonos es ese decorado que soñaron en los años sesenta algunos finísimos homosexuales de Occidente. Ahora está a merced de los búfalos con macuto, las oleadas de carne nórdica se suceden sobre él y las playas sirven de dormitorio para los nuevos cruzados de la belleza instantánea.

Se trata de un decorado de teatro, con viejas de negro que hilan a la puerta de las casas encaladas mientras los turistas pasan por las callejuelas y tratan de comprar a una de esas ancianas para llevársela a casa y ponerla encima de un arcón. Lo dice la tarjeta postal: Mikonos es una pared blanca, la cúpula azul o roja de una capilla ortodoxa, un gato dormido en una silla de enea, una sandía abierta, un asno que rebuzna como un trombón de varas, un viejo pescador remendando las redes apoyado en una barca color naranja, un perro también dormido en el muelle, docenas de restaurantes incrustados en los vericuetos bajo las parras, centenares de joyerías, tiendas de ropa y tabernitas pintadas de rojo, laberintos de cal con las ventanas verdes.

El gato, el asno, la abuela, el pescador y el perro son parte del decorado y cobran del municipio. El resto es una aglomeración de turistas que sudan sal y parecen felices. Algunos, en las terrazas del puerto, toman copas frutales de un color que hace juego con la camisa. Por regla general, éstos son maricones, los reyes de este espacio. Unos molinos de viento se vuelven locos a media tarde. El meltemi azota la cal, bruñe los pedernales y crispa el alma.

Durante la noche he navegado hasta arribar al puerto de El Pireo, donde me esperaba la belleza hermética de los contenedores. Los pasajeros se han desparramado. Una vez más, en Atenas, he ido a visitar la Acrópolis como el que cumple una penosa obligación de cultura. Ha sido imposible verla. Estaba empanada con carne de turista. Por eso, bajando hasta el ágora, me he colocado en el punto estratégico de otras ocasiones: ese que te permite soñar sin ver nada.

Este espacio es un teorema: ahí está la breña sagrada del Partenón, el risco del Aerópago, la terraza del Pnix. Forman

Para limpiarse el alma de tantos dioses y mármoles, cómo agradece uno la presencia del racionalismo en el diseño de los contenedores y anuncios de motocicletas.

un teatro bajo el cielo de diamante, pero la ficción sólo se desarrolla en el interior de ti mismo. Los dioses actúan en la base de tu cráneo.

Cabotajes

Teoría de Ibiza

En el barco Palmyra, de 35 pies, bien arranchado y a buen son de mar, zarpamos del puerto de Denia a las dos de la madrugada un día de agosto, festividad de Nuestra Señora de los Ángeles. Tanto el armador Jolís como el capitán Goñi se ocuparon previamente de la intendencia cargando bebidas duras, salazones, frutos secos y demás provisiones para una travesía de siete jornadas por las Baleares. A la hora de partir, los aparejos estaban empapados de humedad, y esto presagiaba buen tiempo con calimas. Había altas presiones, y el nivel del agua en las carenas y en los diques de la dársena era muy bajo debido a un arraigado anticiclón.

Al abandonar la bocana con calma chicha se marcó un rumbo de 90 grados. Comenzó a trabajar el piloto automático y a palo seco se inició la navegada en medio de una noche blanca a 5,5 nudos, según indicaba la corredera. Aparecieron enseguida las cuatro ráfagas del cabo de San Antonio, y poco después, también el faro de La Nao nos acompañó a contrapunto, y ya no se perdieron de vista a popa en 24 millas. Había que esperar a que amaneciera para divisar el perfil de Ibiza, con el peñón Es Vedrá jineteando el horizonte; pero antes hubo tiempo de echar un sueño, y la tripulación bajó a los camarotes después de formular maravillosos proyectos tomando unas copas en cubierta con las velas plegadas.

El insomnio me ayudó esta vez a pasar una noche de soledad bajo las estrellas mientras los amigos dormían. Con la cabeza apoyada en un candelero, me puse a pensar en el cielo de Joan Miró contemplando las constelaciones, las cuales habían salido de uno de sus lienzos plagados de signos algebraicos, sexos y pupilas insomnes. Este pintor se ha alimentado de la profundidad pitagórica de la armonía nocturna de este espacio balear. Ahora navegábamos entre la Vía Láctea y los bancos de caballas y sardinas que de pronto también llenaban de astros las aguas al verse sus plateados vientres reflejados por la luna, y así la mar adquiría a veces una fosforescencia mineral, y entonces la sonda del barco comenzaba a sonar. La quilla estaba pasando sobre una sólida formación de atunes que levantaba espuma como si el oleaje estuviera golpeando un bajío.

Pasadas las seis de la mañana, las aguas fueron adquiriendo un color de estaño diluido en sombras, y poco después toda la mar comenzó a ser inflamada por una luz malva o rosada, que también daba un volumen lívido a la calima del horizonte, donde se levantaba la silueta de Ibiza. A babor quedaban cala Vadella, la Tarida, la isla Conejera y San Antonio, que yo recordaba de otros tiempos, cuando sus guaridas azules acogieron a los primeros estalinistas desnudos, recién convertidos al placer de la carne; a estribor ya se veía Es Vedrá como una cresta de gallo emergiendo de las aguas, y allí esperaba darme una vez más el baño iniciático. Estaba amaneciendo y de pronto todo el barco comenzó a oler a café, cuyo aroma se confundía con el sol tierno que aún no hería los ojos. El patrón hizo sonar con fuerza el Bolero de Ravel, mientras la gran calabaza emergía de las estribaciones de Punta Rovira, y la música se mezclaba con el sonido de las tazas y cucharillas que humeaban en el aire extasiado de altamar. Fue entonces cuando aparecieron los delfines. Durante el desayuno, en medio del intenso perfume del café ligado con el otro sabor de brisa salobre, de pronto el grumete Juan Luis, desde el púlpito de proa, dio el grito de costumbre.

No había viento y la mar se había puesto femenina. A medida que el sol se levantaba, las aguas iban tomando un color turquesa sobre los fondos de arena o adquirían la densidad del zafiro si se reflejaban en un alveolo de algas. A estribor aparecían los ocres arenales de Formentera, los islotes ofuscados en negro por el rebote de una luz de plata, los pedernales de la costa cortados al pie de los pinos, cuyas copas hacían juego con las grutas. Éste era el espacio de la antigua felicidad, tierra de neófitos. Sobre esta

Es costumbre echarse al agua en este espacio cuando se va a Ibiza. Es un bautismo de navegantes veraniegos.

latitud, que fue paso de fenicios, refugio de piratas, cayeron en los sesenta los hijos de las flores para ensayar una vida libre sin el sentido del deber que muerde la nuca, y a esta primera leva de seres inocentes siguieron los conversos progresistas, que pasaron del realismo social a colgarse de la oreja una pluma de gaviota y a percutirse el esternón abierto con un colgajo de la diosa Tanit. Fueron estas aguas entonces una pauta mental, la nueva frontera que había que conquistar desnudo, y aquellos viejos payeses que parecían fabricados de barro cartaginés vieron bajo las higueras maternales de Ibiza a los pioneros de la libertad encendiendo de noche la luna para sus ritos y no se asombraban de nada puesto que la esencia de esta isla es la naturalidad, no volver el rostro nunca.

A babor iban apareciendo perfilados en la bruma el cabo Llentrisca y después Punta Yondal y Falcó, que se cierran a proa con los freus de los Ahorcados, antes de dar paso a la bahía de La Vila. Y en ese momento de la mañana todo era tan estático y diluido en azules encalmados y la navegación tan propicia, que Pepita Jiménez, la tripulante más fina, optó por ponerse la pamela de frutas para darle un aire decadente al esplendor del instante. A esa altura existía la posibilidad de abrirse hacia Es Palmador y ensayar rápidamente el número de la felicidad, y cuando arribamos a esa cala ya estaba allí fondeada lo que parecía la Armada Invencible: grandes yates, veleros majestuosos, lanchas superdinámicas, y en sus cubiertas, los millonarios abrasados, algunos viejos paralíticos que eran reyes industriales rodeados de muchachas de plástico y macarras, señoras legítimas requemadas o encendidas como tizones luciendo pareos, y también sus hijos, con toda clase de cacharros náuticos violando la perfección de las aguas. Largamos el ancla muy cerca de la playa, cerrada por un fondo de encinas que guardan pozas de barro milagroso donde acuden los esotéricos navegantes a embadurnarse para alcanzar la juventud por detrás. Mientras veía pasar por la arena resplandeciente un desfile de seres desnudos bajo una capa de arcilla que el sol cuarteaba como a las antiguas figuras de dioses fenicios mal cocidos, yo pensaba en la isla que conocí por primera vez: aquel dormido silencio de chicharras, payeses de negro y parroquias blancas junto a una tienda de comestibles, las calas deshabitadas, alguna embarcación ibicenca de vela latina que cruzaba las aguas calmas, la pesca de raones al volantín cuando los hippies aún estaban calentando motores en la discoteca Paradiso de Amsterdam. Pero enseguida vinieron ellos a hacerse cargo de este edén, y después llegaron unos sucedáneos que eran argentinos con tenderetes de collares; luego, los comunistas, ofuscados por la nueva estética de la libertad y los pantalones de panadero; a éstos siguieron los oficinistas disfrazados de locas, las putas más hermosas de todas las salas de masaje de Europa, los pederastas afincados ahora en Dalt Vila, y finalmente llegaron las

Este es el famoso crimen de Ibiza que no cantará ningún ciego.

mesnadas de italianos y de hooligans ingleses, cuya base de operaciones es hoy un San Antonio cutre, repoblado de piernas de pelo rizado con chancletas y macutos.

En medio de esta marea de carne común aún se ven extraños ejemplares en la isla varados en otro tiempo, nuevos maravillosos a bordo de fastuosos yates, pero la fiesta de Ibiza ha terminado. Durante la primera jornada navegamos a Cala Saona y La Savina para atracar esa noche en el puerto de Ibiza, en cuyo náutico había tertulia de mafiosos locales, abuelos de cráneo rapado y sabiduría en los ojos. Mari Mar, la mujer del patrón, preparó unas berenjenas, anchoas, ajos tiernos, tomates y pimientos asados bajo la luna menguante, que aún hacía brillar en la oscuridad sobre estos manjares el aceite virgen de oliva. Y a partir de esta fusión los días comenzaron a transcurrir sin horas, y el sol se sucedía en las calas junto con las visiones de la brisa. Puedo asegurar que navegamos por la costa rumbo a la isla de Tagomago, y a babor iban pasando Talamanca, cabo Martinet, aunque antes de arribar a Santa Eulalia fondeamos en Cala Llonga para seguir explorando grutas y bucear en aguas de una profundidad tan azul que se confundía con la propia niñez, y dormitar bajo la toldilla después de haber saboreado salazones con cerveza, sandías, higos y claudias. Y de pronto volvía la luna y el efecto de Ibiza hacía fondo en la piel de cada uno. En el interior de la isla la multitud de los jóvenes cumplía su rito. Tomaba una copa en Keeper para abrir la noche, comenzaba a bailar a las dos de la madrugada en Pachá, seguía en Amnesia y la fiesta continuaba en Space, con el sol ya sobre la playa de'n Bossa, donde al final la gente remojaba el alcohol. Pero esa noche, desde la cubierta, yo me entretenía con María Pilar, mi mujer, viendo cómo los lenguados jugaban alrededor del ancla en las aguas transparentes, sólo iluminadas por las algas azules.

Meditación de Mallorca

Siguieron los días de perfección y hasta ese momento de la travesía por las Baleares yo no había visto sino popas de yates llenas de aparentes ricachones, marineros solícitos en los pantalanes, mujeres hermosísimas que baldeaban las cubiertas a la hora del crepúsculo cuando el sol se entreveraba con los palos, jarcias y gallardetes de los barcos en el náutico y después bajaban los navegantes rasurados, perfumados, vestidos con prendas deportivas a cenar en restaurantes de moda y entonces uno descubría en tierra a duques británicos con un Micky Mouse en la camiseta y a banqueros conocidos haciendo de sacerdotes ante una pizza. La clase media europea se alimenta de popas de yate y en todos los puertos que tocamos había parejas de gorditos carniceros del Mercado Común de paseo por los muelles tratando de descubrir a las princesas en el salón de los fastuosos veleros comiendo tortilla. Hasta ese momento de la travesía también había compartido las calas con el resto de la flota que fondeaba abarloándose hasta formar una sola cubierta que tapaba las aguas y en ese gran escenario comenzaba muy pronto el millonario a desarrollar gestos unívocos de felicidad: música de salsa que se lleva la brisa, profundas fiestas de los cachorros que anoche bailaron en una discoteca hasta media mañana y ahora están derribados a proa, sonido de algún chapuzón o del latigazo del viento en la toldilla que se funde con el resplandor de los párpados cerrados, voces que se oyen en la otra parte del sueño, un perfume de ajo frito que se apodera del fragor de las chicharras que baja de los pinos y alguien que pregunta: «¿Qué hora es? ¿os apetece tomar algo?». Nadie responde. El mejor paisaje de Ibiza es este silencio y las cornisas de las calas que lo coronan.

Zarpamos de Santa Eulalia rumbo a Mallorca un mediodía sin viento y al doblar el cabo entre islotes y escollos, a babor apareció la playa de Es Caná y pronto a proa avistamos el islote de Tagomago en forma de cetáceo y con la brújula y el piloto automático fijados en los 45 grados noreste para dirigirnos a Andraitx. Dejamos que todo fluyera según los sentidos puesto que la mar es el inconsciente y el anticiclón con luna menguante lo mantenía en calma chicha y había clima dorada en la costa. Después de cinco horas de navegación aparecieron en el horizonte las sombras de la Dragonera, pero en medio del canal con setecientos metros de agua transparente bajo la quilla aún había algunos ritos que cumplir: detener el barco y bañarse a la deriva manteniendo a flote los genitales libres sobre el abismo, seguir navegando dormido, pensar con el cerebro en blanco, echar el curricán para ver si mordía algún pez. Esta vez hubo suerte. Cuando ya el sol comenzaba a ponerse meloso a media tarde vibró el sedal con fuerza y al cobrarlo se vio aparecer en la superficie espumeando un atún de dos palmos y al rato picó otro más. En alta mar el barco pronto estuvo inundado de aroma de aceite que crepitaba en la cocina y mientras las montañas de Mallorca se concretaban con toda la luz a proa también ambos atunes se iban dorando en la sartén.

Cuando ya atardecía se definió el faro sobre el cabo de la Mola que cierra a estribor el puerto de Andraitx con un acantilado calcáreo en cuyas grietas crecen las higueras que plantaron los pájaros con sus garras. Había en la dársena del puerto una multitud de barcos fondeados y un enjambre de chinchorros que zascandileaban alrededor de los yates más lujosos donde había fiestas nocturnas. En la cubierta de un velero de tres palos fornicaba al aire libre una pareja mientras a su lado un tipo leía impávido el Financial Times y otra señora de pelo blanco con pareo se pintaba las uñas y sobre los cuerpos de los amantes saltaban unos niños rubios también desnudos jugando. Un jeque se rascaba la espalda por dentro de la camisa de seda y bostezaba sin encontrar sentido a la vida a bordo de un trasatlántico de su propiedad y junto a él había tres putas del mejor plástico alemán que parecían formar parte de los aparejos. La dársena se llenó de oro podrido, muy dulce.

Comer las sobras de una cena real es todo un destino.

Bastaba con bajar a tierra para percibir enseguida la diferencia que Mallorca guarda con Ibiza o Formentera. En Mallorca hay mucho vejestorio, si bien aquí la luz es más tierna. Al bajar a tierra supe que era domingo y por las calles del puerto de Andraitx vi algunos próceres en bermudas terribles y en el Miramar, donde la noche anterior habían cenado los Reyes, nos dieron a mitad de precio la caldereta de langosta que había sobrado. Pese a que Ibiza es hoy el paraíso de la chancleta y el macuto conserva todavía la energía de la libertad que dejaron en otro tiempo los soñadores de chicharras y allí los palacios son las sombras ofuscadas de las higueras en los barrancos; en cambio, Mallorca tiene catedral, obispado, audiencia y aristocracia con mansiones de piedra arenisca y patios empedrados que conservan todavía el sonido de las carrozas y de los cascos de las caballerías. Esta Ibiza de cal y mampostería ha levantado un monumento romántico a sus corsarios que luego quedaron en nada, pero en Mallorca los piratas han fundado dinastías y eso da mucho peso interior a la existencia.

Navegando desde Andraitx hasta la punta de cala Figuera se veían fondeados en la ensenada de Santa Ponsa fortalezas náuticas sobrevoladas por helicópteros que guardaban las espaldas desnudas desde el aire a magnates de la salchicha y te rayaba un poco la mente comprobar la dulzura de las aguas vulneradas por esa agresividad, pero entre los islotes de Malgrots y los farallones de Enguixa había nudistas con flores en la cabellera y un recién nacido dormía encima de un escollo batido por el oleaje a la sombra de un paraguas, mientras sus padres exploraban grutas con la Zodiac. Un viento amable nos llevaba ahora hacia la bahía y ya entonces la mar estaba violada por las motoras terriblemente diseñadas para volar; un ejército de desembarco parecía dirigirse a puerto Portals y esos cacharros fabulosos eran pilotados por jóvenes con un rictus de dolor en el rostro, aunque no exento de sadismo, a una velocidad que les dejaba la musculatura muy atrás hecha jirones. Puerto Portals es un nido de millonarios, una creación artificial al servicio de un tipo de gente que sólo ve el mundo a través del talonario y allí se mostraban desplegadas como colas de pavo real las popas de los yates y en ellas se veían a muchos matones relajados con gomina en el pelo.

Comenzamos a costear por el interior de la bahía y arribamos muy cerca de los edificios portuarios de Palma. Contemplar la catedral desde el barco tomando ron con anchoas era una nueva forma de ver la historia; atravesar la regata real tumbado a proa con el viento largo por la aleta sin pensar en nada era otra forma de modernidad. Con la mayor y la génova muy pletóricas pusimos rumbo a cabo Blanco, una singladura presidida por la música de jarcias, por el golpe rítmico del agua en las amuras y el estertor de los obenques vibrando. Se produjo una resurrección cuando al final de una larga en-

Los guar-
daespaldas
filipinos
son los
más acredi-
tados por
su crueldad
y elegancia.
Las criadas
filipinas,
por su silen-
cio y dulzura.

calmada el viento comenzó a soplar. Entonces cada aparejo cobró vida y también el alma de los navegantes se puso en tensión.

En esa latitud avistamos muy pronto los desolados pedernales de Cabrera. Puesto que no se podía recalar en esa reserva natural nos limitamos a descubrir de lejos los pliegues de su costa. Esa reserva natural está ahí para educar la mente. Se trata de una purificación interior aunque los militares, por desgracia, la continúen vulnerando con su presencia. Después de hacer este ejercicio de perfección seguimos rumbo a la ensenada de la Rápita y al final del día llegamos al puerto de pescadores de S'Estanyol, tan lejos del impudor náutico de los millonarios, tan cerca de aquella infancia que se fue. En este poblado marinero había niños bañándose entre las rocas y adolescentes melancólicas como las criaturas de Espriu junto a barcas varadas buscando conchas en la arena con la mirada perdida. A la sombra de la terraza de un bar jugaban a las cartas unas señoras y al lado había una tertulia de viejos cartagineses o fenicios de rostro arañado por la sabiduría.

Paradójicamente la presencia de los militares, hoy solo simbólica, ha permitido preservar la isla.

Había que navegar también hacia la isla de Menorca, pero en esta ocasión esa singladura se dejó como una parte de la inteligencia. El viento nos llevaba de nuevo hacia Ibiza con gran fuerza al través y la marea que iba creciendo también nos empujaba de popa. Después de ocho horas de navegación nocturna vimos el faro de Tagomago y debajo de la quilla el inconsciente estaba a punto de convertirse en mar gruesa con tramontana. Pudimos atracar en el puerto de Santa Eulalia cuando ya silbaban los estays con toda la furia. El milagro de este crucero fue que tanto el patrón Jolís, el capitán Goñi, el ayudante Juan Luis, Mar, Pepa Jiménez, María Pilar y yo nos seguimos hablando al término del viaje. El barco Palmyra se portó bien.

Ejercicios en la isla de Cabrera

Iba pensando en los amigos lejanos mientras navegaba tumbado en cubierta rumbo a la isla de Cabrera, y era una de esas noches de agosto plagada de meteoritos, las lágrimas fugaces de San Lorenzo que transportan los deseos. En el barco Palmyra, una vez más, al mando del patrón Jolís, partimos del puerto de Denia a la una de la madrugada, y había un baile con canciones de amor en la terraza del náutico cuando largamos amarras, y estos boleros no se disolvieron en la oscuridad hasta que el oleaje no comenzó a golpear las amuras después de haber ganado la mar abierta. Allí se perdieron. Había luna musulmana y, ayudadas por un mistral ligero, habían quedado muy nítidas las constelaciones dentro de la copa, totalmente apropiadas para navegar llevando en la memoria las pasiones perdidas y otros nombres que ya se fueron. Amaneció en Es Vedrá bajo los acordes de la Séptima sinfonía de Beethoven; dimos por primera vez hierro a la mar en la cala Saona de Formentera y, habiendo cumplido el rito de ser felices chapoteando entre popas de magnates y ninfas abrasadas que se apaga-

Esta navegación se ha convertido en un rito. Todos los elementos de la liturgia marinera son paganos.

ban como tizones al zambullirse desde las bordas en las aguas transparentes, rendimos pleitesía en el restaurante Es Molí de Sa Sal a una fritura de raones con el barco fondeado a los pies, por todo lo cual entonamos himnos de alabanza al Altísimo con una jarra de cerveza en el puño, y acabado este oficio dejamos atrás el puerto de La Savina y pusimos proa a Santa Eulalia de Ibiza, donde pernoctamos en paz.

La travesía hacia Cabrera tuvo que demorarse una jornada, el tiempo que tardó en llegar la autorización para navegar y fondear en aguas de esa isla que está preservada. Cumplimentado este requisito, iniciamos la navegación de las 69 millas náuticas que separan Santa Eulalia del cabo de Llebeig, en punta Galiota, con un rumbo de 83 grados, y había una mar blanca sin viento con el presagio de un día tórrido de sol a sol en el cráneo. Hicimos la travesía a motor, a siete nudos. Antes de que a media mañana los sesos de la tripulación comenzaran a fundirse con sus respectivas tapas, el patrón mandó izar la toldilla y esa lona en forma de ángulo sobre la bañera de popa dio al barco un aire de tartana marinera. Cuando en la mar hay calma chicha, las borrascas a veces se producen en cubierta. De pronto, en medio del canal, el tedio revienta, y dentro de la luz que ciega suena una imprecación, y ésta libera la carga magnética, y entonces comienzan a brillar miradas de odio seguidas de algunos gritos que sacan a la superficie viejas cuestiones de las parejas, heridas que no han cicatrizado, pero en el momento en que el motín a bordo se halla en plena exaltación, alguien grita:

—Eh, eh, mirad a estribor. ¿Qué es eso?

—Una gaviota que va navegando sobre el caparazón de una tortuga gigante.

—¿Será una tortuga laúd?

—¿O una tortuga boba?

Es suficiente una sola tortuga para que la borrasca cese en cubierta, y bajo la sombra generosa de la toldilla uno reparte cervezas y otro propone darse un baño, con setecientas brazas de abismo, cosa que relaja mucho los nervios antes de avistar la punta de Ançiola a primeras horas de la tarde. Este morro de Cabrera fue dejando de ser una silueta de humo para convertirse en un enorme mineral paulatinamente poseído por la luz de mediodía. Puesta la proa 10 grados más al Norte navegábamos, y enseguida apareció el faro del cabo Llebeig, que da entrada a la gran ensenada del puerto, el único recaladero de la isla donde se permite fondear, aunque no más de cincuenta barcos por día.

Junto al pequeño muelle había dos mallorquinas atracadas con pescadores naturales limpiando el trasmallo, con el cual acababan de cobrar algunos cabrachos, y se veían varios soldados en la explanada que cierra el depósito de víveres, la cantina y la comandancia militar, con dos cañones en la entrada. Estos edificios son pequeños, blancos, con puertas y ventanas verdes, un poco desvencijados. La cantina está sombreada por una parra, y también hay una vivienda de marineros y una casa con terraza donde habitan los jóvenes de Icona en cuyos bajos se encuentra un horno de leña para hacer el pan todos los días. Sobre estas construcciones con aire de vivac se levanta el castillo de Cabrera, del siglo XIV, que fue baluarte del archipiélago mucho tiempo. Largamos el ancla en la ensenada al abrigo del farallón de Clavellera y en el chinchorro llegamos al espigón, y allí estaba bostezando Joan el Payés, único civil habitante de la isla que cumple desde hace veinticuatro años algunos servicios al Ejército. Un soldado me preguntó:

—¿Son ustedes del barco Palmyra?

—Sí, sí.

—El teniente les esperaba ayer. Soy el encargado de víveres, por si les puedo servir.

—¿Qué ofreces?

—Hay algunas latas. Y pan por la mañana si se pide ahora.

Había más soldados bajo el cañizo y la parra de la cantina, y uno cantaba canciones cuarteleras con las botas de media caña subidas a la mesa y otros dormitaban. Sonaban fichas de dominó y era ya media tarde. La golondrina que trae turistas desde la colonia de Sant Jordi, de Mallorca, ya se había ido, dejando la isla en un silencio de ala de mosca. A veces bajaba un jeep desde el pabellón militar, y uno de estos vehículos trajo al teniente Aroca, a la caída del sol, mientras jugábamos al parchís, cuyos cubiletes resonaban en el aire dormido de la bahía. Como en cualquier cantina del Ejército, en Cabrera había berberechos, mejillones de lata y bebidas, pero no se servían comidas. El teniente Aroca se sentó a tomar café. Después llegó su mujer con un hijo de pocos meses en brazos, y también se acercó un joven guardia civil en pantalón corto. Y así dejamos que muriera el día, viendo cómo la brisa agitaba las hojas del emparrado. Desde que en 1986 cesaron las maniobras militares con fuego real, en la isla ha quedado un destacamento de treinta soldados al mando de un teniente, puesto que Cabrera aún es propiedad del Ejército, aunque haya sido declarada parque nacional. Para navegar hasta allí hay que solicitarlo, y sólo el pensar que ese espacio está preservado purifica la mente. He aquí un ejercicio del espíritu: ver cómo flota la isla desde lejos incontaminada. En el fondeadero, esa tarde había unos veinte veleros que iban a pasar la noche, y así lo hicimos nosotros después de que el teniente Aroca se ofreciera a facilitarnos la estancia. Nos enseñó el horno de pan que ya estaba preparado con leña de pino y se despidió diciendo que a las nueve de la mañana pondría un jeep a nuestra disposición para recorrer la isla. Desde el camarote, esa noche, bajo la luna, se oían balar algunos corderos del Ejército. Era todo el sonido que producía Cabrera, y esos lamentos parecían ir de cala en cala hasta perderse.

Cuando uno se pone tierno con la naturaleza, cualquier pájaro o la hierba más humilde te devuelve la suavidad al corazón, y de pronto saltas de alegría al contemplar un acebuche o una sabina, un espliego o un simple matojo que nunca habías amado porque no lo conocías. Por una pista de tierra, en el jeep pilotado por Miquel, un joven biólogo de Icona, nos adentramos en la isla hasta el observatorio de Bellamirada, que domina la cala de Ganduf, y después seguimos camino por un bosque de pino carrasco a través del Coll d'es Burri, para llegar a la garita levantada sobre todo el sur de Cabrera, y allí había un soldado dormido, que tenía a los pies la magnífica visión de La Olla y de todo el archipiélago, con cabos y escollos que eran batidos por una mar muy crecida. Durante este itinerario nos detuvimos ante algunos vegetales autóctonos, como el llampudol borde, semejante a una encina enana, especie endémica, que contemplábamos mientras las lagartijas de cuello esbelto, también autóctonas, nos miraban, y en ese mismo momento en el horno se estaba cociendo el pan con las ramas del pinar que habíamos atravesado, y este albergaba un monolito levantado en recuerdo de los prisioneros franceses que fueron abandonados a su suerte en esta isla después de la batalla de Bailén. Murieron alrededor de seis mil, algu-

Hasta que no ama a las lagartijas uno no es buena persona. Solo entonces deplora los crímenes de la humanidad.

nos devorados por sus propios camaradas, en medio de la sequía y de la soledad de estas mismas chicharras que ahora sonaban frenéticas en la canícula.

El pan era de miga espesa, muy cuartelero, pero la corteza muy recia guardaba aún el perfume de un fuego silvestre. Con latas de atún en escabeche y aceitunas servidas por el depósito de víveres del Ejército hicimos bocadillos que te llenaban los dedos de aceite al derramarse por las grietas. Bebimos cerveza bajo la parra de la cantina, y luego, en una Zodiac de Icona, igualmente pilotada por el joven biólogo Miquel, zarpamos a explorar los alrededores de la isla. Hicimos amistad con la gaviota audouïn de pico rojo, una especie rara a punto de extinguirse. Entramos en la Cova Blava, cuya techumbre era una catedral marina, y había hasta cinco tonalidades de azul en el agua haciendo columnas que se perdían en el abismo. La isla de Conejera está al lado. Ese peñasco sideral fue la patria de Aníbal, ya que su madre, preñada, recaló allí para parir al caudillo cartaginés durante una singladura de piratas, y ahora, en el filo de sus escollos, se asomaba una colonia de cormoranes y también levantaba el vuelo algún halcón marino, llamado halcón de la reina. Hacia el norte se extendían los islotes del archipiélago de Cabrera, la isla Plana, la Redona, la Foradada, y cada una tenía secretos en forma de cabezas de gigantes petrificados, que eran viejos navegantes muertos.

Amar los líquenes ya es el último grado de la perfección

Al sureste de la isla de Cabrera, doblada la punta de Ançiola, había submarinistas en la codolla dels Estells, y por ese lado el acantilado formaba grutas cubiertas de líquenes a los que hay que amar si uno quiere ser perfecto, y por allí habitaba un águila pescadora, la cual llevaba el pez capturado en las garras orientándolo al viento en forma de quilla. Y así volaba hacia el cerro de Picamosques, la cumbre mayor de la isla. Al llegar al este de S'Esclata Sang, un islote desabrigado, vimos que la mar se había puesto alta, y aun así navegar por la cepa de los acantilados en paz y que las voces se elevaran en el silencio hasta la altura de algún halcón extasiado en el aire era el ejercicio de la isla de Cabrera. De regreso a puerto supimos que se acercaba el temporal. Después de bañarnos en la cala, dejando atrás aquella soledad mineralógica, pusimos la proa rumbo a Porto Petro de Mallorca, con el piloto Goñi al timón sorteando los escollos, y después de una azarosa travesía con fuerte marejada arribamos a nuestro destino, y allí en la cala de Porto Petro, se celebraba la fiesta de San Roque. Un señor maduro arrojaba un pato al agua y un tropel de niños se zambullía para atraparlo por el cuello. El pato, lleno de terror, huía, y los niños aullaban de placer persiguiéndolo a nado. El ganador exclamaba, retorciendo el pescuezo del animal:

—Ya tenemos cena para esta noche.

Cabrera quedaba como una pauta exquisita de la mente. Y después el temporal de poniente se estableció durante dos días.

La luz de Tabarca

Desde el fondo de las aguas comenzó a emerger una iglesia. Se iba perfilando su sombra en el horizonte de la mar y al principio era difícil separarla de la calima: teníamos a estribor el cabo de Santa Pola, y el viento de Levante que se había entablado el día anterior aún persistía, aunque la marejada había bajado. Era la segunda jornada de navegación. Al final de la primera travesía a vela, habiendo zarpado del puerto de Denia, a la caída del sol habíamos atracado en el club de regatas de Alicante: en un templete de la explanada tocaba la banda municipal amenizando nuestra maniobra de amarre con el pasodoble Paquito el chocolatero, y la noche de Alicante olía a almendra garrapiñada y en el interior de ella había innumerables buhoneros africanos con las mantas extendidas sobre el mosaico entre las palmeras y brillaban sus córneas tanto o más que las baratijas que vendían.

Detrás de la avenida, en la plazoleta de Gabriel Miró, los drogadictos exhibían su ruina en traje de baño como Cristos góticos muy taladrados, se intercambiaban dosis por billetes sudados bajo los inmensos ficus. En la explanada de las palmeras, sentados en sillas traídas de casa, tomaban la fresca en grandes corros gente muy lozana del lugar que se abanicaba la tripa desabrochada haciendo tertulia dentro de la cultura de la calma mientras la banda de música seguía atacando partituras de mucho metal. La lentitud, que es aquí una sustancia de las cosas, también olía. Alicante fue en un tiempo una pequeña ciudad colonial, elegante y plácida. Después fue bombardeada a conciencia por los especuladores, y ahora su alma oriental tan fina se ha refugiado bajo las ruinas de modernos rascacielos que hieren los ojos. Una ciudad puede ser destruida con obuses o con arquitectos pilotados por tiburones. Pero el aire de Alicante es dulce de vivir aún y de noche penetraba por el tambucho de la embarcación, a través del cual se veían siete estrellas fijas incluso estando ya dormido. Acabábamos de cenar en la Dársena un arroz blasfemado.

Hacia el mediodía, aquel templo que se levantaba en medio de la mar se fue concretando, y después emergió al Este la silueta de una fortaleza civil. Cuando ya llevábamos desde Alicante una hora de travesía comenzó a divisarse bajo estos monumentos la tierra llana de la isla de Tabarca formando dos masas que aún semejaban de humo. Al templo y a la torre que había sido una prisión ahora se añadió un punto blanco, lleno de fulgor, que era la tapia del cementerio, en el extremo oriental de la isla. Enseguida se pudo vislumbrar la muralla que envolvía el poblado a Poniente. Sobre Tabarca la luz se hizo sólida en forma de roquedales, y en su corazón había un pequeño abrigo detrás del espigón de pescadores donde recalamos junto a un llaud que tenía pulpos puestos a secar en la verga de la vela cangreja. Imaginé cómo era el silencio un día de otoño o de primavera con este aire de la isla recién bruñido por el mistral, los chiringuitos cerrados, unos viejos jugando a las cartas bajo un cañizo y la voz de unos niños sonando en la cala. Así había visto yo algún paraíso en las costas del Asia Menor; ahora el primer golpe de brisa de Tabarca traía dentro la sustancia de las calderetas de pescado que estaban cocinando en la playa al otro lado del embarcadero y también cierto bullicio de bañistas que habían llegado desde Santa Pola en las golondrinas.

El pueblo amurallado tiene tres puertas con nombre de arcángeles. Entré por la de San Rafael, que abre las once calles tiradas a escuadra, hechas de casas de pescadores, algunas con cortinas de palos de viña que poseen el alma suave y no suenan al apartarlas. Había paredes pintadas de verde oscuro, de amarillo limón, de azulete, y este color se repetía en las hornacinas abiertas en las fachadas con una Virgen rodeada de exvotos, pero ninguna gama era tan exquisita como el fucsia quemado por el sol en la puerta de la iglesia que había arañado el salitre. Por la acera de la sombra, donde a veces

Trato siempre de llegar a la esencia de las cosas a través de los colores sin conseguirlo.

había que saltar un perro dormido o vadear un viejo en camiseta imperio tumbado en una hamaca, me dejé llevar hacia la barbacana del castillo de Sant Pau, que por la mañana vi navegar como una nave fantasma sobre la marea. En las dos plazoletas se levantan los únicos árboles de Tabarca, unos plátanos o acacias exánimes: en el resto de la isla, cuya altitud no excede de los 30 metros, crecen sólo matorrales y una concentración de chumberas junto al faro y el torreón de Sant Josep en medio de la planicie del Este.

Por el lado del Sur fui caminando hasta la punta del cabo Falcó, en el extremo oriental de la isla, y por allí había unos escollos con cavernas secretas donde habitaba algún nudista, y por detrás de la larga barricada de chumberas se veía avanzar una pamela de mujer que también iba en dirección al cementerio. Era una mujer joven, de mucha belleza. El cementerio estaba más allá del faro, pasando el torreón cuadrangular de los fusilamientos; sus tapias blancas aparecían colgadas del filo de la costa. La cancela estaba cerrada y había una cuba de agua que sin duda servía para regar los geranios de los muertos. Rodeé las cuatro paredes, y al volver de nuevo a la cancela vi a través de los hierros que dentro del cementerio ya se paseaba la mujer en compañía de dos hombres con pinta de estetas. Iban vestidos de blanco, estaban flacos y su sombrero era igualmente blanco.

—¿Cómo se entra aquí? —pregunté.

—Hay que saltar —contestó uno de ellos.

Ayudándome de un bidón oxidado me encaramé en la tapia y salté a un tejadillo reblandecido por el calor que sin duda cubría a algunos cadáveres; por un momento temí que si aquel tinglado se hundía, alguien desde el más allá me tiraría de las patas, pero los muertos aquí son de confianza y sólo tuve que deslizarme por la pared y de pronto me encontré rodeado de tumbas por donde deambulaban en el silencio de cigarras bravías una mujer bella y dos estetas. Los apellidos que exhibían las lápidas eran en su mayoría italianos. Parodi, Chacopino, Luchoro, Ruso, Salieto. Nombres que serían descendientes de aquellos coraleros de Génova que habitaban otra isla de Tabarca en aguas de Tunicia. Fueron sometidos a esclavitud por el sultán en el siglo XVIII y luego liberados por Carlos III, que los trajo a esta isla Plana, bautizada como Nueva Tabarca en recuerdo de su primera patria. Había un ancla de flores al pie de una tumba y una capilla santera llena de Vírgenes y retratos de muertos con ojos espantados bajo la gorra. Viendo que había algunas hileras de nichos abiertos sin estrenar, me introduje en uno de ellos. Estuve un rato tendido allí dentro y no puedo negar que se estaba muy fresco, aunque desde allí no se divisaba el mar. Traté de decir algo en voz alta, una incongruencia que rebotó entre las cinco paredes de cemento pelado, y aquellas palabras tan insustanciales pronunciadas en el interior

El cementerio de Tabarca es el cementerio marino más profundo de cuantos he conocido. Los muertos llevaban allí su propio tiempo.

del nicho tomaron una profundidad inconmensurable. Lo abandoné: Y el sol inmisericorde estaba fuera con los estetas sentados en una tumba comentando las últimas noticias del periódico. Al contrario de lo que sucede en la realidad, salir del cementerio fue más fácil que entrar: trepé por otro nicho vacío donde el sepulturero había guardado un azadón, un serrucho, unos alicates, una silla y un saco de yeso, y cuando estaba en lo alto de la tapia oí que uno de los estetas me decía:

—No se caiga. No se vaya a matar.

—Sería como caer de espaldas en la cuna —contesté.

Tabarca fue una isla de piratas, de salazones, almadrabas y penados. Este torreón fue cárcel política en las guerras dinásticas del siglo XIX, y al pie de sus muros cayeron fusilados diecinueve sargentos carlistas en represalia por cualquier tropelía que hubiera cometido Cabrera en los montes del Maestrazgo. Aquí el cielo es seco como el esparto. La soledad grita en el pico de las gaviotas.

Pero en ese momento ya estaba la caldereta de pescado a punto, de modo que la subimos a bordo en el muelle y al instante zarpamos con ella navegando a vela lentamente sobre aguas de turquesa para fondear al sur de la isla después de haber sorteado los escollos de la Cantera bajo los murallones amazacotados, hechos de panes micénicos. Llevábamos la caldereta en la proa como una custodia; bien abrigados del viento de Levante largamos el ancla frente a un farallón que tenía una capilla excavada en la roca pintada de azul y blanco de cal con una Virgen que nos miraba, y hacia ella subía el vapor del guiso como una ofrenda. Después de comer dormité bajo la toldilla y luego buceé dejándome llevar por la carne. Tabarca es una reserva marina. Todos los peces dentro del agua parecían de plata y acudían en bandadas a explorar mi nariz; me rodeaban cuando les echaba migas de queso, y desde el lecho de arena me miraban los pulpos y desde las cuevas observaban mis movimientos los meros confiados en la ley. No logré que alguna dorada comiera en mi mano. Acababa de zamparme tres de sus hermanos con tomate, y sin duda estos peces lo sabían. No obstante, ahora, con toda su belleza, me rodeaban los pageles, los sargos, las dobladas, y uno se sentía muy miserable dentro del agua tan transparente.

Dejamos Tabarca a media tarde rumbo al puerto de Denia con el levante que había caído. La isla adquirió todo su perfil de humo, y lentamente sólo quedaron sobre las aguas en el horizonte las murallas de panes micénicos y luego el torreón y al final quedó la iglesia dorada por el sol hundiéndose en la mar; en el este de la isla durante todo el crepúsculo se conservó un guiño refulgente que era el cementerio. Adiós, Tabarca. Prometí que volvería un día de primavera, cuando sus chumberas ya estuvieran coronadas. Navegamos de noche. A babor se veían las luces del bombardeo de la costa, la playa de San

Juan, Campello, Villajoyosa, Benidorm. La destrucción de aquellos paraísos del Mediterráneo ahora se cubría de oscuridad. Amaneció en el Albir, y a la altura de las peñas del Arabí, entrando en la bahía de Altea, nos bañamos en alta mar, acuarteladas las velas, después de haber perdido de vista la cascada de aguas residuales de las urbanizaciones que se vertía en el agua desde el acantilado. Había que hacer un ejercicio de pensamiento tenaz e imaginar que el Mediterráneo sólo es un mar interior que todos llevamos en la memoria. Dentro de cada uno se preserva. Y así continuamos la navegación hasta fondear a sotavento en el peñón de Ifach, cuyas grutas muy altas servían de trompa a los gritos de las gaviotas. El cabo de Moraria, la Nao, Jávea, el cabo de San Antonio y otra vez el ciprés dormido del Montgó con el castillo de Denia en la proa. Habiendo recalado en cada uno de estos paraísos derruidos, arribamos a puerto ya anochecido, con un rescoldo de sol sobre los montes de Segaria y la luz de la isla de Tabarca en el fondo de la niñez.

Pesca de arrastre en un mar de dulzura

A las cuatro y media de la madrugada en la explanada del puerto algunas motocicletas huidas del último baile se cruzan en la oscuridad con los primeros marineros que aparecen por las bocacalles del barrio de pescadores en dirección al muelle, con una bolsa de plástico en la mano donde llevan la vianda o alguna pacotilla. No hablan nada. Sus sombras en el muelle abordan las distintas embarcaciones abarloadas, y al saltar sobre los aparejos emiten cierto sonido gutural a modo de saludo entre ellos que a veces refuerzan con media imprecación para indicar lo mal que está la vida. A esa hora todavía no hay nada que decir: el silencio es un signo indeleble en el rostro de los marineros, forma parte de sus máscaras de barro y a este silencio deben su prestigio: ellos sólo cuentan largas historias en tierra, en los bares propios, cuando el vaho de aguardiente empaña los cristales en invierno durante los temporales, pero el patrón que me ha acogido en su barco para pasar hoy una jornada de pesca al arrastre me recibe en el puente y en mi honor apea el cigarro de la boca y habla alguna cosa.

—Está entrando Poniente. No sé qué pasará ahí fuera. Puede que haya marejada —me advierte.

—La cubierta está mojada —le digo.

—En principio eso es señal de buen tiempo. Por si acaso te recuerdo que para mear por la borda lo hagas siempre a sotavento y bien agarrado. Éste es Cholvi, el nuevo cocinero.

—¿Qué ha sido de Pere?

—Ha muerto. Hace unos meses. De cáncer. Fumaba demasiado.

—Hacía unos calderos inefables —le digo.

—Ahora hemos contratado a este jovencito para que nos dure muchos años. Toda la tripulación es de Denia. Éste es un barco clásico, ya ves. Aquí se nace y se muere. Está bien, vamos a zarpar.

Todos los pesqueros del puerto de Denia en este momento se llenan de luces blancas, verdes y rojas, que se reflejan en el agua pesada de la dársena. Suenan los motores. Las amuras con nombres de vírgenes, de hermanos o cofrades ponen proa a la bocana, y después de sortearse mutuamente las embarcaciones ganan la cabeza del espigón en fila formando procesión, y apenas tomada la mar abierta allí el patrón decide por costumbre, olfato o inspiración, según el viento o la marea, si la pesca ese día se va a realizar por la parte de garbí o de gregal. El puerto se aleja. Desde cubierta aún veo cabecear las palmeras con la oscura ventolina entre las farolas del paseo; las sillas de las terrazas están apiladas bajo los toldos y algunos trashumantes que esperan pasaje para Ibiza duermen sobre las mochilas a la intemperie en la explanada, entre las redes tendidas y las mangueras de riego arrastran hasta ellos los envases de helados, botes de cerveza y otros residuos de la noche.

Unas barcas van a la gamba roja en la plataforma del canal, a treinta millas. La nuestra navega ahora rumbo a gregal para faenar la primera corrida en aguas de Gandía a diez millas de la costa, en una pesca de tierra o media altura buscando la pescadilla y el salmonete. Todavía bajo la oscuridad cerrada no hay otra cosa que hacer sino echarse en cubierta para mirar las estrellas al socaire del puente, donde el patrón, Tico, gobierna el timón y los instrumentos de posición, el plotter, el GPS, el sonar. La tripulación ha bajado a los camarotes. Algunos marineros allí leen novelas de amor esperando el momento de calar.

Tumbado boca arriba con las manos en la nuca busco algunas constelaciones, porque yo soy un invitado, pero en lo alto de las tinieblas de la mar sólo descubro el rostro de aquel viejo cocinero que murió en este barco al pie de la caldereta. Lo recuerdo en otro verano, en otra navegación, cuando en la vertical del mediodía echaba una cabeza de ajos en el aceite hirviendo y se creaba el mundo alrededor del sofrito que resumía todo el Génesis. Tenía la piel tallada con jeroglíficos de mil soles y con cualquier gesto sus propias arrugas trazaban otro mapa igual de hermético.

Después de una hora de travesía en el puente suena un silbido y siendo todavía la noche muy prieta en cubierta aparecen las sombras de los marineros. Mientras disponen las artes para calar alguien me dice:

—Están ahí. ¿Los has visto?

—¿Qué sucede?

—Tenemos compañía. Los delfines. Míralos allí, a estribor. Eso significa que los peces, huyendo de ellos, se irán al fondo y con eso puede que tengamos la suerte de arrastrar buena pesca.

Confundidos con los rizos plateados que levanta la mar a la luz de la luna, sus aletas describen un círculo en torno a la embarcación, pero será a la salida del sol cuando el torso de los delfines brille a flor de agua si antes no han decidido abandonarnos. Ahora la tripulación trabaja. Por medio de la maquinilla se desarrollan los cables trincados a las puertas de hierro y con ellas por debajo del trapecio a popa se larga la red, que va formando la gran bolsa con una relinga de plomos y otra de boyas cuyo remate es el copo o la corona. La operación de calar no ha durado media hora. La tripulación vuelve a los camarotes. El patrón está en el puente con los mandos. La embarcación navega a tres nudos y el resto es la suerte. Hay tiempo para dormir tumbado en cubierta de nuevo

Así como los delfines de Ibiza, que aparecen antes de llegar a Es Vedrá parece que están puestos allí por el ayuntamiento, estos de Denia parecen más profesionales. No son para turistas.

hasta que la primera claridad del día te hiera los párpados. El faro de San Antonio da sus últimas ráfagas y puesto que no existe mejor cosa que hacer, trato de analizar minuciosamente, como un ejercicio de perfección, las vibraciones del alba en los pedernales del cabo y la levísima aureola que se va posando sobre el perfil del Montgó y del castillo de Denia, sin que esta visión pueda desligarla del pensamiento en la profundidad de las aguas donde la red trabaja. En un sedal tendido desde proa a un candelero de la regala hay ensartada por la boca una ristra de bacaladillas que los marineros han puesto a secar el día anterior para tomarlas de aperitivo. En esas bacaladillas yertas por el relente, amanece. La luz se posa en ellas y les confiere una calidad metálica, con una tonalidad dorada.

Lentamente se crea el día también por encima de la borda en la extensión de las aguas, que toman un carácter de plata fluorescente, y sobre ellas comienza a derramarse un primer vino desde los nimbos inflamados por el sol en el cielo de Jávea, detrás del acantilado. Los marineros duermen. El patrón escucha las gangosas conexiones de la radio que marcan la posición de otros pesqueros, cuyas luces rojas o verdes se ven en el horizonte. La costa de Denia adopta la figura de un ciprés tumbado: el gran vástago de Les Planes a lo largo del cabo significa el tronco; la copa dormida la forma esa mole calcárea del Montgó con una caída suave hacia Poniente. Ahora el ciprés se halla envuelto en la calima de la evaporación y a esta altura hay un poco de marejada, con lo cual las olas que son de oro golpean las amuras de la embarcación antes de volverse azules del todo y en ellas ya no están los delfines, pero los recuerdo muy bien de otra navegación una madrugada cuando en estas mismas aguas, entonces jabonadas por una calma chicha, comenzaron a emerger diversos círculos de aletas caudales y luego unos grandes torsos aceitosos que el sol encendía en el aire saltaron a nuestro alrededor durante el tiempo necesario para imaginar que eso era la belleza. Ahora no hay delfines y si las olas vienen de través la embarcación es zarandeada con fuerza y uno acaba rodando junto con sus sueños por la cubierta combada hasta dar en cualquier parapeto con las costillas. Es la hora de comer algo.

—Mira el castillo de Denia —me dice Salvador, propietario del barco, armador bien plantado—. Es inenarrable la cantidad de gente que se ha matado por subir ahí. ¿Qué quieres beber?

—Dame cualquier cosa y una cerveza.

—¿Te apetece un bocadillo de queso? Debajo del castillo hay varios estratos de huesos humanos. Si los cimientos de ese cerro se partieran como una tarta se verían muchos niveles de guerreros muertos. De todos los tiempos, de cualquier civilización.

—Hoy se confunden con el polvo de los cangrejos —le digo—. O con la cáscara de los mejillones triturados.

—Están también amasados con esquirlas de ánforas.

—Y con monedas.

—Son tres mil años de empeñarse en subir ahí para dominar este mar. Por donde ahora navegamos se ha naufragado mucho.

—Vete a saber lo que habrá aquí debajo —comenta un marinero.

—Muchos héroes ahogados, pero cada vez menos salmonetes, que es de lo que se trata —exclama el patrón—. Ayer rescatamos a un turista francés que se había caído de la lancha. Llevaba seis horas nadando. Solo en medio de la marejada.

—Son los argonautas de hoy. Ulises naufraga al perder la tabla de surf —le digo.

—¿Quieres un poco de mortadela? —pregunta Salvador.

Con la visera sombreándome las cejas diviso en el círculo del horizonte la mineralogía del cabo de San Antonio, la bruma de palmeras que levanta Denia en el soto del Montgó, la cresta de los montes de Sagaria sobre el valle de Pego y después las siluetas de Oliva, Gandía y el cetáceo de Cullera que cierra el golfo de Valencia. Cuando la marejada ya le ha puesto a uno los riñones a prueba y el sol comienza a macerar el seso bajo la gorra cerca de mediodía, llega el momento de izar el arte y para eso la tripulación se viste con botas y trajes de plástico rojo y enseguida se pone a trabajar

Estas son aguas de Ausias March. En días claros, más allá de Cullera, se ven las agujas de Santa Águeda, el cabo de Oropesa que cierra el golfo de Valencia, el monte Caro, sobre las aguas del Papa Luna, en Peñíscola.

la maquinilla que leva la red por popa. Los cables y los cabos se van enrollando en las poleas y al instante aparecen las relingas de boyas y plomos con las mallas azules y las puertas de hierro; después aflora el copo, que se iza desde el palo del trapecio hasta situarlo en la vertical de la bañera de popa y un marinero le deshace la ligada de la corona a través de los cornalones y aquélla se abre dejando caer toda la carga de pescado sobre la cubierta que antes ha sido regada con una manguera.

—Aquí está el fruto de la mar: latas de cerveza, plásticos, botellas y mucha morralla —exclama Salvador.

—También se ve una langosta —le digo.

—Una miseria —contesta el patrón—. Algunos creen que las barcas de arrastre estamos aniquilando la vida ahí abajo. Nos miran como si saliésemos a robar. Pero lo que está matando el Mediterráneo es el detergente de millones de lavadoras de Europa que desaguan aquí sin parar nunca. Nosotros nos limitamos a ganarnos la vida. Otros se dedican a robarles los atunes a los japoneses. Eso es más rentable.

—¿Hay japoneses aquí?

—En primavera en el canal los japoneses calan palangres de más de cien kilómetros que llegan hasta Tarragona. Pescan por satélite, con ordenador, en nuestra mar. Ellos nos roban a nosotros, pero algunos pescadores van allí, desenganchan del palangre un atún de quinientos kilos y lo venden en la lonja. Eso es más rentable. Están ahí enfrente.

—Comparado con eso...

—Es lo que te digo —exclama Salvador—. Comparado con eso este copo es una miseria ridícula. Algo para llorar. Cuatro pescadillas, dos escorpas y lo demás, cangrejos y galeras.

El copo que se eleva en cubierta deja ver un pescado muy humilde trabado con algas y subproductos petrolíferos. Los marineros calan de nuevo la red a doscientas cincuenta brazas de profundidad y la embarcación toma ahora el rumbo de garbí para realizar otra corrida hasta las aguas del cabo de la Nao, en el mar de Jávea, y, mientras la corona abajo se abre para otra captura, en cubierta los marineros se colocan en torno al montón de pescado, plásticos y algas y se disponen a clasificarlo en las cajas. Sepias, calamares, cangrejos, galeras, pageles, boquerones, pescadillas, salmonetes, congrios, cintas, escorpas, lisas, bogas, raspallones, caballas, rapes y lenguados. Pese a que esta captura no ha tenido una fortuna de langostas y cigalas, no obstante se va convirtiendo en un tesoro cuando comienza a platear entre el hielo picado en las cajas bajo el sol del mediodía; y mientras el trabajo de los marineros continúa, el joven cocinero Cholvi selecciona un cubo de pescado y primero lo limpia con agua de mar. Con la maza del hielo machaca contra la cubierta un pulpo para ablandar su carne que parece de nieve y luego azota la borda con sus tentáculos. Este pulpo, ya macerado con los golpes, y unos congrios, rapes y morralla hierven ahora en un caldo que Cholvi gobierna en la cocina. El menú del día es arroz abanda. Pronto se manifiesta su perfume en medio del olor a brea y los pliegues de la brisa se llevan espesas sustancias de hígado de rape por babor. El aceite de oliva crepitando en el caldero se apodera de todo, también de la luz que ciega, del pensamiento hecho de toda clase de azules. Sentado a la sombra del puente el patrón ofrece una primera ración de pescado, que según la costumbre hay que depositar sobre una rebanada de pan para devorarlo mirando cómo lejos pasa una gaviota. Mientras los marineros comen, la red trabaja. Después el cocinero Cholvi viene con el plato de arroz. Y a este placer nada hay que añadir sino la siesta en cubierta, con la gorra en el rostro y la nuca apoyada en un cabezal de cabos envarados por el salitre. Y así hasta las cuatro de la tarde en que el sol ha comenzado a doblar un poco y los marineros, vestidos otra vez con equipos de plástico, se disponen a izar el segundo copo de la jornada. La maquinilla vuelve a sonar. En la costa se ven las sombras del cabo de la Nao y la embarcación con la captura a bordo emprende el rumbo al puerto de Denia, adonde arribará a las seis de la tarde bajo una nube de gaviotas que se clavan en las olas persiguiendo los despojos que los marineros van echando por la borda. A las gaviotas les encanta la basura. Son aves muy sucias, algo que ignoran los poetas.

Con la tarde ya doblada y todo el almíbar depositado por la parte de Poniente sobre los montes de Sagaria, las barcas de pesca al arrastre convergen desde el horizonte hacia la bocana. La tripulación trabaja a marchas forzadas clasificando el pescado del segundo copo bajo la toldilla. En el muelle junto a la lonja esperan mayoristas, dueños de restaurantes y algunos turistas con el vídeo. Se llega a puerto con el sol que muere dentro de la cabeza, con todos los aromas que la embarcación ha liberado de sus entresijos, con la piel azotada por la sal. Los marineros arriban a puerto formulando su silencio rutinario, hecho de gestos y medias palabras. Las carretillas transportan las cajas de pescado a la lonja, donde ya suena la voz pastosa de la subasta a la baja. Cada alijo tiene una corte de pujadores, cuyo rostro es impenetrable, lleno de picardía y cultura mediterránea, alrededor de los bancos. La gamba roja que se pesca en la plataforma del canal de Ibiza llegará después. Ahora en la lonja están las pescadillas, salmonetes, calamares y lenguados que uno ha visto arrebatar al mar en una jornada de trabajo.

—¿Cuánto van a dar por esto?

—Nada. Para ir tirando —contesta el patrón.

Después de pasar el día con esa gente se llega a la conclusión de que la mar es sólo para navegarla o para trabajar con ella y sacar tesoros de sus entrañas que mañana se freirán en la sartén. Pero no para contemplarla. Si te dedicas sólo a mirar la mar te vuelves un esteta reblandecido, o sea un cursi o un literato. Sólo te puede salvar este silencio que se vertebra en el rostro de los marineros.

La quimera del tiburón

Sabía que los salmonetes fumaban, pero no sabía que las lubinas fueran antropófagas. Se acerca el final del milenio y parece que se va a producir la gran rebelión de los berberechos que anunció el profeta Isaías. Una lubina acaba de morderle en el trasero a una bañista de Nules. Estos días todos los peces están muy soliviantados. En medio de un cúmulo de rumores, ayer salí a pescar la lecha con mi amigo Tono Fornés, que es biólogo. Este joven pescador también es poeta y, por tanto, cree que la lecha existe. Muchas veces he ido con él en busca de este pez limón y no he conseguido capturarlo jamás. Esta vez le habíamos puesto de carnada una llampuga acabada de pescar al curricán con cucharilla cuando la isla de Portichol apenas se había asomado por detrás del cabo de San Antonio. Es la comida que más le gusta a la lecha, según el viejo marinero Corona, que imparte lecciones de pesca al poeta. Ayer tampoco pudo ser y yo trataba de demostrarle a Tono que la lecha es un pez hipotético que representa el más allá, una simple quimera en estos tiempos de tribulación, y entonces sucedió un hecho que no es nada extraordinario. De pronto un salmonete asomó la cabeza por la superficie del agua con un cigarrillo en la boca y me pidió fuego. No me sorprendió en absoluto. En algunos restaurantes de Madrid me había encontrado ya con varios salmonetes que tenían una colilla de Winston entre las agallas. De modo que le encendí el pitillo y el salmonete me dio las gracias, le pegó un par de caladas antes de sumergirse de nuevo y yo continué pescando la lecha o pez limón en compañía de mi amigo Tono Fornés, que contempló este hecho como la cosa más natural del mundo. Pero esta clase de prodigios no anuncia nada bueno.

En ese momento pasó un helicóptero repleto de gente armada a una altura que permitía divisar muy bien las metralletas, los rifles y arpones apuntando al agua desde la carlinga, y esas púas de acero daban al aparato un aspecto de puercoespín volador.

—Ésos están buscando el marrajo —comenté.

—Se ve que todavía no se han enterado —dijo Tono—. He leído en un periódico que el tiburón que le arrancó medio pie al bañista de la Malvarrosa acaba de aparecer en Benidorm.

—¿Lo han capturado? —pregunté.

—No, no —dijo Tono—. Estaba sentado en la barra del bar de un hotel tomando un whisky y llevaba una camisa de seda muy abierta, y en el pecho le colgaba un Cristo de Dalí.

—¿Estaba solo?

—A su lado tenía una tintorera alemana, que también está en busca y captura.

Lo más elegante del mundo es que se te coma un tiburón si luego puedes contarlo. Por desgracia, no hay tiburones para todos, ni siquiera tintoreras, ni mantarrayas ni esas morenas de gruta que son parientes de los humildes congrios. Hasta ahora los bañistas se han tenido que conformar con que les muerdan los cangrejos. Conozco algunas tabernas de puerto muy exclusivas. La más hermética de todas es una en que sólo se admite de clientes a los marineros mutilados por dentelladas de marrajo, y cuando entras allí, en medio de una humareda espesa de alcohol, no se vislumbran sino muñones, patas de palo, tacos de cuero en las muñecas cercenadas y muchas cicatrices dentadas de color violeta. En ese lugar, junto a las barricas que huelen a brea, se cuentan muchas historias, todas duras. Por allí se dice que los tiburones desarrollan hasta diez mil dientes a lo largo de su vida.

—¡Eh!, mira que hay ahí, —exclamó Tono, el poeta, señalando un punto a estribor.

—Puede ser un delfín asesino —dije yo.

—Vamos allá.

A media mañana habíamos avistado por proa una aleta algo escorada emergiendo en la calma de la mar y, al parecer, la gente armada del helicóptero también la descubrió. No se movía. Podía tratarse de un gallo de palangre, de un simple tablón medio sumergido o de cualquier monstruo dormido que se dejaba llevar a la deriva. El helicóptero realizó unas pasadas sobre el objetivo y le escupió dos ráfagas de plomo antes de despedirse de él. Cuando el poeta y yo llegamos a su altura vimos que se trataba de un pez luna: estaba panza arriba acribillado por las fuerzas del orden. Tenía el cuerpo circular, la boca pequeña, medía casi dos metros de diámetro y sus aletas caudales eran muy grandes, y aunque ya estaba muerto aún poseía un tono plateado con matices de marrón oscuro en la dorsal.

—Con estas batidas contra los tiburones no quedará un solo pez luna en el litoral. A este animal le da por dormir flotando entre dos aguas llevado por la corriente. Cuando asoma su aleta, si no lo conoces, siempre te llevas un susto.

—El helicóptero está disparando otra vez —dije alargando el brazo hacia la parte del horizonte donde sonaba una ensalada de tiros.

—Seguro que se han cargado a otro de estos dormilones. No quedará uno —murmuró Tono.

Enseguida nos dimos cuenta de que había más helicópteros desplegados en la circunferencia del mar y todos parecían estar entrando en acción. En la magnífica resonancia de las aguas azules se escuchaba perfectamente el tableteo de los Cetmes y metralletas disparando a discreción contra la marejadilla, y entonces, dentro de la calima que borraba la costa, se perfiló una formación de lanchas torpederas, y de ellas el sol comenzó a extraer destellos de un gris militar, pero antes de que pudiéramos adivinar sus cañones erizados en el castillo de proa se oyó la voz del megáfono que impartía órdenes a las barcas de arrastre que estaban faenando a Levante, en aguas de Denia y Gandía. El aviso también iba para nosotros.

—Por favor, por favor. Vuelvan a puerto inmediatamente. Ha sido declarado el estado de alerta general. Vamos a realizar unas grandes maniobras —repetía obsesivamente la voz de megáfono.

—¿Qué habrá pasado? —se preguntó Tono mientras recogía el sedal.

—Estamos casi al final del milenio. Tal vez se ha producido ya la esperada rebelión de los berberechos que anunció el profeta —dije.

—Vámonos a casa. Pon rumbo al cabo.

Al arribar a puerto descubrimos todo el despliegue. Había remolcadores, lanchas de la Cruz Roja, diversas filas de buceadores armados con arpones eléctricos asomados por la borda de unos navíos que parecían preparados para zarpar. También se estaba realizando en el muelle una recluta voluntaria de personal civil, y entre esa gente se multiplicaba la noticia.

—¿No lo sabe usted? —se dirigió a mí un holandés excitado echándome a la cara pistones de salivilla.

—Sé que ha aparecido un ejemplar de lubina antropófaga.

—¿Y nada más?

—Que un marrajo se le ha comido un pie a un médico en la Malvarrosa.

—Acaba de decir la televisión que un salmonete ha atacado a un niño en Cullera. La playa ha sido desalojada —exclamó el holandés fuera de sí.

—Eso no es posible —digo.

—Es absolutamente cierto. Las sepias de Burriana parece que también se han rebelado —gritó el municipal—. Están mordiendo las pantorrillas a los bañistas que se alejan un poco de la orilla. Todas las comandancias de Marina y los equipos de socorro del litoral mediterráneo están en situación de alerta. Una dorada gigante se ha comido a un francés que estaba haciendo surf en Vinaroz. Se ha zampado hasta la tabla. Pero los peores son los salmonetes. De pronto se han hecho carnívoros y no paran de atacar.

—No puede ser —exclamé—. A mí un salmonete me ha pedido fuego en alta mar. Estaba fumando un Winston y parecía amigable.

—¿Y qué dicen los biólogos?

—Los únicos tiburones que tienen peligro son los de secano —contestó Tono.

Pero la agitación que había causado la presencia del primer escualo ya no podía detenerse. Las banderas rojas flameaban en todas las playas, aunque había un mar muy bonancible y esa dulzura estaba siendo violada por el terror. Los helicópteros seguían disparando contra bancos de caballas y las gaviotas gritaban sobre peces de todas clases que emergían con la tripa acribillada.

De todos los puertos zarpaban embarcaciones armadas y desde la arena prohibida de todo el litoral una morralla de gente se disponía a contemplar esta batalla de la Administración. En la taberna exclusiva donde sólo se permite entrar a lobos heridos por dientes de tiburón, el poeta Tono Fornés siempre tiene la puerta abierta a cambio de que cuente a los mutilados una bonita historia.

Acodado en un tonel en medio de un corro de marineros, Tono decía que durante las prácticas de biología una vez anilló a un alevín de tiburón capturado en Denia. Se le dejó libre otra vez en el mar para conocer su migración. Ocho años después apareció muerto con un cuchillo en la espalda flotando en una piscina de Miami un hombre fornido con muchos tatuajes. Cuando se le hizo la autopsia se vio que tenía aquella misma chapa con las características del escualo anillada en una de las paredes del intestino. En ese momento el televisor de la taberna advirtió que la VI Flota había comenzado a torpedear a los berberechos y a los chanquetes en aguas del golfo de Valencia y que estaba prohibido bañarse en las playas hasta que el peligro no hubiera cesado.

Una fiesta valenciana

Avanza el pendón de San Roque seguido de una banda de música, y al son del pasacalle, delante del santo desfila la comitiva de clavarios con la barriga al aire llevando unas inmensas tartas de panquemado con adornos de frutas confitadas y grecas de merengue bajo un volteo general de campanas. La carne de conejo para la paella se está oreando mientras el orador sagrado que va a predicar en la misa ha comenzado a hacer gárgaras con clara de huevo. La fiesta de San Roque en estos pueblos de Valencia se halla instalada en la mitad de agosto y hoy por la mañana, en procesión, han acompañado al santo a la iglesia y a esta hora del mediodía suena una traca y dentro del ambiente de pólvora en cada patio de casa crepita el sofrito.

Ayer un toro de Domecq que se corría por la calle en honor al patrón mató a un muchacho, y mientras la fiera lo corneaba directamente en el corazón con tres certeros viajes, las mujeres en los balcones, llorando, lo encomendaban a san Roque Peregrino, en medio de gritos de horror; pero este santo sólo es abogado de pústulas y peste negra, no entiende nada de asta de res, por eso el joven espontáneo agonizó en el acto entre las cuatro pezuñas, y allí permaneció un rato desangrándose, mientras el animal levantaba el testuz en señal de victoria hacia el lugar de donde venían las plegarias. Después, una ambulancia situada detrás de la barrera se llevó los despojos, y esa misma noche sobre el serrín que cubría el plasma del torero muerto se corrieron dos vacas bravas para gusto de la plebe y en otros pueblos de alrededor se celebraban toros de fuego al mismo tiempo.

Una forma de quemar el agosto consiste en quedarse inmóvil en una silla de enea a la puerta de casa como hacen los viejos del lugar que parecen los leones de las Cortes sentados junto a las jambas en la acera y desde allí contemplar cómo pasa el mundo. Las paredes son blancas de cal. Durante el día la calle está dividida por una línea cruel de sol y sombra; si corre la brisa, ésta se lleva las moscas; en caso contrario, la plasta de luz harinosa cae en tu cabeza y dentro de ese resplandor las moscas pueden ser reinas. Ahora acaba de desfilar otra comitiva que lleva en una bandeja las turmas del último toro entre cuatro estandartes de terciopelo para que las bendiga el cura y la banda de música toca España cañí, que obliga a marcar el paso a los socios de esa peña; pero si uno no se mueve de la puerta de casa, después por delante van a pasar algunos batallones de moros y cristianos, unos luciendo sedas de colores, otros armados con corazas de cartón piedra, todos borrachos y felices con un puro en la boca.

En aquella época de silencio de los años cincuenta, la gente este día iba a la playa en carros con vela. Llevaba en el soto de la tartana un pato vivo dentro de una bolsa de red y un gallo atado que garreaba con espasmos bajo el saco de arroz y el montón de verduras de la paella. Algunos salían temprano y en las alquerías junto a las acequias y norias cerca del mar se veían extasiadas columnas de humo de los diferentes guisos de las familias, y también se oían canciones mientras los insectos rayaban las superficies podridas de los estanques y los niños jugaban. En el pueblo habían quedado los devotos del santo y las mujeres introducían en el aire cerrado de la iglesia durante la misa solemne un perfume espeso de colonia y muchos guiños de oro que salían de sus pendientes, de las medallas y de los broches de la mantilla, y todos los pescuezos estaban empapados de sudor, empezando por la sotabarba del predicador de campanillas, que ensalzaba las virtudes del santo con la frente manando a chorros, y así se sabía que san Roque, acompañado por un perro, vino desde Montpelier, que también fue la patria de Jaime I el Conquistador, a recorrer estas tierras valencianas y se hizo especialista en llagas, tanto del alma como del cuerpo.

La playa a media tarde se llenaba de corros de gente vestida de negro que

Con estos materiales Sorolla llegó a la cumbre.

comían longanizas con tomate a la sombra de las velas de las tartanas varadas en la arena y los labradores con los pantalones arremangados hasta la rodilla introducían del ronzal a los caballos en el agua y el oleaje golpeaba los bajos del animal llenando de espumas sus ijares. Algunas chicas se bañaban con camisón y la tela blanca se les pegaba al pubis y les dejaba sombreado allí el triángulo del amor que el sol de la tarde encendía. En el pueblo en ese momento discurría la procesión del santo paseando dentro de un copo de lirios y olía a azufre de bengalas. De noche volvían los carros de la playa y tal vez la banda daba un concierto en la plaza; tocaba Pepita Creus, Las bodas de Luis Alonso y El sitio de Zaragoza; en las puertas de las casas algunos comían sandías, habas hervidas, altramuces y otros entremeses de moro y después había un castillo de fuegos artificiales y en algunas hamacas abiertas en la acera los veraneantes con pijamas de húsar dormían hasta que la brisa comenzaba a mover las cortinas de la habitación y se llevaba el bochorno de aquel día sofocante de agosto.

He vuelto a las fiestas del pueblo después de mucho tiempo. Queda poco de aquel aire extasiado de pólvora y campanas que fue la juventud, pero ciertos ritos no han desaparecido y uno de ellos ha consistido en sentarse a la puerta de una casa de labradores para ver pasar el mundo otra vez. Me ha despertado esta mañana una banda de música con un pasacalle amenizado con unos cohetes muy violentos. Apenas estaba amaneciendo y en un tejado zureaban unas palomas. Y tan pronto el sol ha entrado por la ventana las campanas han volteado con furia y enseguida han sido sustituidas por el petardeo de las motocicletas que sin duda se llevaban a las parejas a la playa sustituyendo de esta forma a aquellas caravanas de tartanas con la vela y el pato.

Me he lavado la cara con agua clara de pozo. Me he puesto una camisa blanca arremangada. Me he desayunado con una coca boba que ayer fue llevada en andas a bendecir y mientras tenía el dulce en la boca pasaba por la calle la reina de las fiestas con las chicas de la corte de honor, llenas de bordados y moños traspasados con agujas de oro, y después lo han hecho algunas clavariesas con cirios, medallas, tacón alto y mantilla y al mismo tiempo bajo el sonido de la banda de música que las acompañaba alguien me contaba cómo fue la muerte del espontáneo ayer, a cargo esta vez de un toro de Domecq.

—Acababa de salir del toril. Un chico de unos veinte años se plantó para hacerle un quiebro, resbaló en la arenilla y cayó sentado frente a las astas del toro, que se limitó a engancharlo por la mitad del pecho. A la segunda cornada ya le había entrado el sol en el primer boquete. ¿Dónde estabas tú?

—Ayer por la tarde a esa misma hora en el trinquete había una gran partida de pelota.

—¿Quién ganó?

—El Genovés. A ése no lo coge nadie.

—Al tercer envite el toro se puso muy encelado y lo levantó hasta la altura de los balcones, y allí las mujeres lloraban. Como el chico era forastero la fiesta no se ha suspendido. Si el muerto hubiera sido del pueblo a lo mejor se habría armado un duelo. Así, todo ha quedado en el dolor de su padre y de su madre y un poco de serrín para la sangre.

A las seis de la tarde en el bar del trinquete la gente pedía cerveza, empanadillas y coca con tomate agolpándose en el mostrador lleno de gritos de camarero y a veces por la puerta que da a la cancha entraba como una pedrada la pelota jugada por alguno de los teloneros o aficionados. La partida grande llegó a continuación, y en ese momento, en los vestuarios, los pelotaris, vestidos de blanco, unos con faja roja y otros azul, se estaban poniendo los guantes y esparadrapos en los dedos. Hay un cartel en la pared que dice: «Se prohíbe escupir y blasfemar». No obstante, en el silencio de una jugada espectacular se oyen los golpes secos de la pelota de vaqueta en las paredes, y entonces como un trallazo suena la imprecación que también rebota contra la escalera, y a veces la blasfemia tiene un barroquismo tan huertano que erradica cualquier malicia para convertirse en las luces de una carcasa: ¡me cago en el sastre que le cosió la capa al nazareno! Esta gente que se sentaba en los palcos y en sillas de enea bajo la cuerda, aunque iba en chancleta y exhibía la tripa sudada, era descendiente de aquellos espectadores que aparecen en los frisos de Creta, y esos pelotaris equivalen a los sacerdotes que jugaban a largas con una pelota junto a una pared del templo del Cnossos. Dentro del trinquete la tarde se aplastaba con todo el bochorno de agosto y los gritos de las apuestas sonaban excitados por alguna contraseña, mientras los jugadores calentaban la mano. Durante muchos años había asistido a grandes partidas en este trinquete y nombres que fueron famosos, Rovellet, Eusebio, Chato de Museos, me venían a la memoria, héroes cuya fortaleza convertía la pelota en un ascua.

Ayer jugaban Genovés y Sarasol, dos figuras, y extasiado contemplé la fuerza de sus brazos, la agilidad de su cintura bailando alrededor de la pelota envenenada como una cabeza de cobra que se revolvía, y mientras ellos daban unas voleas terribles o sacaban un tanto de bragueta con un quiebro inverosímil, la gente a mi lado se apostaba las cejas, comía coca con tomate y hablaba de la próxima cosecha de clementinas. Fue un juego de griegos y de romanos, de condes medievales, de caballeros renacentistas, de burgueses calaveras. Ahora en los trinquetes de pelota valenciana se refugia el pueblo de salsa más espesa, el que es portador de las pasiones ancestrales sin quitarse el faria de la boca. Pero hoy es el día de fiesta mayor en el pueblo, a mitad de agosto. A mediodía suenan las tracas, voltean las campanas, hay pasacalles y en los corrales de las casas el conejo que ya se ha sofrito está haciendo el caldo de la paella. Hay que buscar una buena sombra de parra.

—¿Qué le pones? —le pregunto a la cocinera.

—Un poco de pimentón seco. Le da sentido. Y unas briznas de tomillo.

—No hay más filosofía que ésa.

He comido una paella a la sombra de una parra, junto a unas flores de plumbago, y allí había una sandía abierta que mandaba su fulgor contra la pared de cal. Después he tomado café granizado, con leche merengada. Y he dormido una siesta bajo el ala del sombrero de paja con la barriga al aire. Esta tarde habrá procesión con agricultores vestidos de oscuro con cirio y medallas, clavariesas con mantilla y el clero con ornamentos de oro detrás del santo. Después quemarán una traca con fuegos artificiales, y de noche, en la plaza, bajo los farolillos, sonará la orquesta que toca Paquito el Chocolatero y parejas de señoras lo bailarán agarradas y también ancianos con camiseta de imperio. Desde allí se podrá ver en el cielo de otros pueblos de esta tierra la luz de las carcasas; por las carreteras las motocicletas llevarán jóvenes salidos que irán en busca de otras fiestas con toros embolados y en la oscuridad de agosto también se oirá toda su berrea.

Por tierras de carlistas y curas trabucaires

A causa de una avería en el coche, que nos dejó tirados al pie de una muela en la ribera del Bergantes, camino de Forcall, tuvimos que regresar a Morella a lomos de una mula, y gracias a eso, al día siguiente, nos fue permitido presenciar una tempestad desde la sala capitular del convento de San Francisco, donde hallamos refugio bajo unos frescos invisibles que representaban la Danza de la Muerte. La breña pelada del castillo de Morella hacía de timbal. Contra ella rebotaban las centellas magnificándose a sí mismas, y cuando el oscuro aguacero a las cuatro de la tarde se estableció, enseguida todas las gárgolas se transformaron en cascadas que venían a caer dentro del atrio en ruinas a través de los arcos del claustro. En la sala capitular platicaban el cantante Raimon y el político Ximo Puig, mientras la tormenta descargaba su furia. Hablaban de los antiguos telares de Morella, que en la Edad Media fabricaban mantas para Florencia, de las guerras carlistas, del ganado porcino y de otros políticos actuales. Las paredes desconchadas ocultaban la sombra de un baile de calaveras, y al cesar esa tempestad, la última de agosto, el aire ya era de otoño fuera del convento.

De repente, las moscas parecían de septiembre, y por el interior del bochorno corría esa brisa de espada que por estas alturas cura muy bien la cecina y hace famosas las longanizas. Era obligatorio visitar la capilla gótica, en restauración. Cuando los frailes franciscanos abandonaron este edificio durante el siglo XIX el recinto albergó distintas guarniciones militares, junto con sus caballos, pero ahora, por los ventanales del ábside, que ya no estaban cegados, entraban los cuervos, y sobre la capa de polvo de yeso que cubría toda la arquería habían mudado sus plumas toda clase de aves.

Para llegar a Morella habíamos elegido atravesar primero la Tinença de Bennifassar desde Vinaroz. Dejando a la izquierda la carretera que conduce a Rosell y a Bel seguimos la dirección de la Senia. El pueblo celebraba la fiesta de San Bartolomé. Una banda de música acompañaba a la reina y a la corte de pubillas. Tomamos el café de media mañana en un bar, que aún olía a desinfectante, viendo pasar la comitiva. Un señor del lugar se acercó a la barra.

—Su cara me es conocida —dijo—. ¿Es usted Francesc Vicens?

—No, señor. Pero éste es el famoso Raimon —contesté.

—¿Raimon Vicens?

—Eso es.

—Ya me parecía a mí —murmuró el hombre con admiración.

—Oiga, señor. ¿Por dónde se va a La Pobla?

—Sigan por la derecha.

La Tinença de Bennifassar es la comarca más septentrional del País Valenciano, al sur de las sierras del Encanadé y de Mont Negrelo, que las separan de Aragón y Cataluña. Hasta los años cincuenta sus pueblos, que cabalgan en soledad unos montes escarpados, carecían de luz eléctrica, y cuando, después de la luz, llegaron hasta allí las carreteras, éstas sólo sirvieron para que sus habitantes pudieran huir. Y así lo hicieron. Ahora son pueblos deshabitados. Sólo viven en esta región unas doscientas personas, y entre ellas se incluyen unas monjas cartujanas que habitan en el monasterio de Santa María, detrás de unos altos paredones. Va uno ganando el silencio cuando en medio de acantilados se adentra por la madre del río Senia, que es la raya de Cataluña, y todavía estos parajes poblados de pinos y encinas han servido de recreo a veraneantes muy cerca de la Font de Sant Pere y el Molí del Abad, pero enseguida las serranías comienzan a fluir sobre sí mismas en un alto oleaje de piedra, hasta convertir el territorio en un lugar propicio para las cabras más audaces. Por allí se llega al pantano de Ulldecona, que muestra en un teso sobre la presa una iglesia también arruinada, con la osamenta gótica cubierta de aliagas y lagartos.

El monasterio estaba cerrado por la soledad y el silencio, más impenetrables que los muros [illegible].

Ascendiendo estas tierras el paisaje lentamente, sin darse uno cuenta, se había convertido en alma, y lo mismo hizo el silencio, que era su forma sustancial. Había caminos que conducían a pueblos sin salida encaramados en un risco, y así llegamos al monasterio de Santa María, cuya entrada está precedida por una larga senda de cipreses, y frente a la puerta clausurada nos detuvimos. Detrás de las tapias se veían paredes recientes, tejados reparados y en alguno de ellos había chimeneas de hornos que tal vez servían para hacer tortas y yemas, pero del cenobio no salía humo perfumado de azúcar y tampoco parando el oído se escuchaba el rumor de ninguna salmodia, sino la voz de los grajos allá arriba de la quebrada, que resonaban en el fondo del valle.

Tomamos el camino hacia el pueblo de Ballestar habiendo abandonado a la izquierda la carretera que lleva a Fredes, dejado de la mano de Dios en medio de una hoya entre los cerros del Montgó y Cantaperdius, el cual no tiene otra salida que volver sobre los propios pasos. En la entrada de Ballestar había una ermita de Sant Antoni y una fuente cegada. Introducirse en el pueblo limpio, blanco y deshabitado fue un ejercicio interior. En Ballestar uno sentía la propia respiración y tenían un sonido excelso las voces más vulgares, las palabras ordinarias puestas a merced de aquella soledad. Solamente había un viejo, como último vigía, sentado a la puerta de casa, cuyo alero estaba muy perfilado bajo un firmamento bruñido, y las moscas allí eran sumamente guerreras. Se oían llegar desde lejos igual que los cazas en vuelo rasante.

—Aquí vivimos diez personas —dijo el viejo.

—¿Y están contentos?

—Se respira bien.

—Algo es algo.

—En invierno, ni eso.

—Bueno, mientras haya un poco de cecina.

—Los jóvenes se han ido a la Senia. Allí hay fábricas. ¿Y ustedes dónde van?

—Vamos a la Pobla de Bennifassar.

—Allí encontrarán un poco más de vida —dijo el viejo.

A tres kilómetros de Ballestar, sobre un cerro en la hoya central de la comarca, se levanta La Pobla en el filo de la barrancada del Pregó, y había almendros, cerezos y pequeños manzanales en los bancales que amenizaban el pueblo aglutinado en torno a una iglesia románica del siglo XIII dedicada a sant Pere apóstol. En los alrededores vimos árboles de sorollas y recogimos moras y hierbas silvestres.

—¿Qué más se podría hacer en este lugar?

—Lo mismo que haría el botánico Cabanilles cuando, en el siglo XVIII, pasó por aquí —dijo Raimon—. Lijarse el fondo de la nariz con toda clase de virutas salvajes. Parece que nada se ha movido desde entonces.

—También podríamos cantar como los monjes Bernardos, que fueron los dueños de esta Tinença desde el siglo XIII —dije yo.

—O mirar las lagartijas como un pastor.

—O rascarse el cogote bajo la boina como un payés.

Tierra de fríos crueles. De inclementes cañadas. De muelas que cabalgan el vacío. En algunas barbacanas aproadas en los valles se veían masías románicas sin habitantes. A esta altura del viaje la soledad, que no era distinta del conjunto de aromas agraces y de toda la gama de ocres, verdes secos, azules petrificados, ya había penetrado en el cerebro, donde también yacía el silencio medieval sin el campanilleo de lejanísimos ganados, sin el zumbido de los colmenares que antiguamente daban leche y miel a los frailes, a cambio sólo de rezar en medio de este espacio. Sólo la brisa en el filo de la oreja creaba un poco de música.

Siete poblaciones fantasmas forman este territorio. Bel, Ballestar, Fredes, La Pobla, El Boixar, Corachar y Castell de Cabres. La ruta continuaba ahora hacia Castell de Cabres, y lejos, a la derecha del camino, vimos El Boixar abandonado, y por la izquierda se levantaban las cornejas, que dan buena suerte a los caminantes y peregrinos. Las rocas estaban astilladas por las cuñas del pasado hielo y el paisaje se iba elevando todavía en busca del puerto de Torre Miró. Después de pasar por Castell de Cabres, donde no vimos a nadie, sino a un perro asombrado al pie del campanario, entramos en la región de Els Ports de Morella, que fue de mucho esplendor en su tiempo, tierras de grandes abades y caballeros, de rebeldes y maquis. Por estas cimas abiertas al cierzo hizo nido Cabrera. De Vallibona, un poco más abajo, era La Pastora, un guerrillero hermafrodita que sembró su terrible ley en los años de la posguerra. Masías solitarias, algún águila real en el firmamento, montes verticales. Por una antigua pista forestal desde Castell de Cabres alcanzamos la carretera de Zaragoza, y bajando a través de bancales de trigo segado llegamos a Morella, cuya muela coronada por el castillo y ceñida por la muralla conserva el aire de un fuerte inexpugnable para todas las fuerzas de este mundo si no se cuentan los turistas, que aun en chancletas pueden escalar cumbres aún más inaccesibles.

Por esta ciudad pasaron todos, desde los iberos a los últimos domingueros con vídeo, y aquí hay fósiles de dinosaurios muy elegantes. Este risco ha dado absoluta seguridad a cualquier poblador, y durante varios milenios ser un potentado consistía en sentirse las espaldas cubiertas por este alto pedernal y tener un reno a mano y una manta para taparse. Gracias a eso, por Morella han pasado reyes y cardenales, y también cualquier peste y toda la gloria de las armas. El papa Luna anduvo por estas calles dándose con el testuz en los capiteles, y san Vicente Ferrer estuvo a punto de comerse a un niño recién nacido, servido en bandeja de plata. Hoy quedan las piedras, los blasones, las murallas, los palacios, el convento de San Francisco, desde cuya sala capitular en ruinas presenciamos una formidable tempestad que era la llave del otoño, después de haber asistido a un concierto de órgano en la basílica de Santa María, gracias a la avería en el coche que nos retuvo en esta ciudad.

Rescatados desde Játiva, otro nido de papas, por el amigo Juan Juan, que vino con la pieza de recambio, juntos hicimos camino hacia Forcall a lo largo de la ribera del Bergantes, y en el cauce del río había restos de antiguos telares o palacios o casas solariegas convertidas en granjas de cerdos. Después de la lluvia, a media tarde habían salido los caracoles, y se veía a los granjeros por los barrancos buscándolos entre las virutas de romero, con un saco en la mano, pero los valles del Bergantes y del río Cantavieja, que yo recordaba llenos de aromas silvestres en otros tiempos, ahora canalizaban un hedor de porcino casi nunca interrumpido. A veces, una brisa de lavanda mojada cortaba la veta de esta cabaña, transportándome a los años de la juventud que pasé por estos parajes, pero enseguida volvía el olor a cerdo, y éste no nos abandonó nunca, incluso después de haber pasado por Mirambell restaurado y el pueblo almenado de Cantavieja, donde el general Cabrera, a salvo después de alguna refriega sangrienta, se cortaba las uñas y se lavaba sus terribles genitales en lo alto del risco en una palangana.

La bajada hacia La Iglesuela fue suave, llena de nostalgia y de prados verdes, que habían quedado así gracias aun a las lluvias de primavera. Allí había mansiones medievales, palacios del siglo XVII y una parada obligatoria en Casa Amada. Conocí a Amada hace mucho tiempo, cuando yo era estudiante. Me alegró mucho ver de nuevo a esta mujer. Creo que ella también se alegró de verme.

—Son más de treinta años ¿recuerdas? —me dijo Amada dentro del mostrador del bar.

—Sí, sí.

—Entonces no venía nadie por aquí. Todavía queda una foto tuya, ya amarilla, en un cajón.

—Ya.

—Te encuentro muy bien —me dijo.

—Sí, sí. Yo también a ti te encuentro bien.

—Ya, ya.

Después de tomar una ración de jamón y otra de queso con una cerveza en Casa Amada, desde La Iglesuela emprendimos viaje de regreso a Castellón, y en todo el litoral hasta Denia aún era verano pastoso.

El diario de Epicuro

No eres más que un poco de agua salada. En eso consiste tu sustancia. La humanidad es otra forma de mar, y la sabiduría estriba en conocer o explorar precisamente el mar que cada uno lleva dentro. Si quieres ser libre, ponte cómodo. Siéntate en tu sillón preferido, y mientras las gaviotas se quedan gritando sobre tu cabeza en el cielo de la habitación deja que la mente se sumerja con lentitud en las cavernas submarinas de tu carne. Relájate, hermano. Tienes el pecho lleno de peces rojos cuyas escamas iridiscentes te iluminan a ráfagas el ánfora del corazón recostada en un banco de arena. El alma es una suave deriva interior, una corriente de agua azul que te traspasa. La máxima profundidad que puedes alcanzar con el pensamiento nunca irá más allá de la planta de los pies, pero bajando con el pensamiento hasta ellos, convertida la altura de tu cuerpo en una sima acuática, tal vez descubrirás en el camino grutas y quebradas interiores donde algunos escualos oscuros se confundirán con tus deseos, y las algas en las vísceras condensarán la última luz de tu cerebro cuando esté a punto de posarse en el fondo. Esta inmersión es un buen ejercicio para sacudirse de encima el yo, ese rey que suele elegir como trono la boca de tu estómago. Dilúyelo en agua salada y expúlsalo luego por la sentina. Saber que cualquiera es mar tiene también otra cualidad: uno navega a los demás seres cuando los ama. No pienses, no esperes nada, intenta sólo experimentar el tiempo a modo de suave marea que te conduce hacia aquella bahía siempre prohibida que soñaste un día, y una vez allí espera a que las olas rompan contra tu memoria. Si quieres ser libre, intenta refugiarte en el litoral de ti mismo. Para eso basta con que te sientes en tu sillón preferido, cierres los ojos y escuches el mar dentro de ti. Entonces deja que la memoria se vaya sumergiendo con suavidad en el agua de tu cuerpo hasta que alcance la profundidad de los talones. Allí están desde tu infancia algunas monedas de oro grabadas en las plantas de tus pies. Con ellas puedes comprar el destino.

Todo el universo cabe en una columna de periódico. Basta con quitar lo que sobra: los astros, las infinitas piedras apagadas y el vacío por donde navegan. Al final sólo queda un planeta lleno de hormigas perplejas y monos desquiciados. También está el mar, que es la forma que tiene Dios de ser azul.

Constituye una gran pasión realizar una travesía a lo largo de ese Dios tomando ron y salazones. Desde la superficie de este ser supremo, que es de agua, se oyen los gritos de terror que lanzan los inocentes aún mucho después de haber sido descuartizados, pero del mismo modo los amantes que han muerto primero están preparando con sus despojos un lecho de amor para ti en el fondo del mar junto a una nave naufragada que traía un cargamento de aceite de Delfos. Si de todo el universo uno desecha lo que no necesita, al final sólo queda una ensalada, algunos versos de Virgilio, una persiana verde, alguna ropa de algodón, una pared de cal y una tarde muy larga para departir con un amigo acerca de profundas consideraciones sobre nada mientras unos perros se aparean en la playa vacía. Cabe también en una columna toda la crueldad humana que por su parte más baja casi limita con la inocencia en el corazón de un mismo ángel. Algunos hombres son tan malvados que parecen purificados sólo por la propia violencia. Todos los dioses convergen en un punto y hacia esa encrucijada se dirigen igualmente los sabores y perfumes de todos los potajes remontando la memoria. En el seno del único Dios marítimo por donde uno navega está el aceite de oliva desarrollado en una ladera de Delfos, pero también la daga que te asesinará por la espalda: habita el criminal de guerra y el ser desconocido que está dispuesto a dar la vida por ti. Si de todo el universo uno apartara lo que odia, al final sólo quedaría un poco de amor para escribir un artículo que comenzara así: hoy hace sol, el mar es azul, huele a hierba recién cortada, en la cocina se está haciendo la sopa, hay unas manos que tiemblan sólo por esperarte.

Desde la terraza de casa, en la ladera del monte, por encima del fatigado fervor de la playa, contemplo la mar matinal, que los héroes han abandonado. Al atardecer, el pliegue de la brisa trae el sonido de una orquestina nostálgica. Probablemente algunas parejas de alemanes carnales y optimistas bailan todavía la canción de Siboney abrazados al crepúsculo que huele a jazmín. Sentado en una mecedora blanca frente al Mediterráneo, yo soy un tipo moderno con la cabeza llena de metafísica y los pies desnudos en la balaustrada. Bajo el vuelo de murciélagos quebrados pienso en la inutilidad de la vida, en los males de la patria, en la bomba atómica, en el amor imposible. También me entretiene mucho el problema de la existencia de Dios o tal vez su propio vacío que el misil Patriot ha ocupado. El vocalista del litoral canta ahora la melodía de Lili Marlen, y la dulzura del pesimismo me invade totalmente. El hombre es una breve aventura química sin sentido, el planeta está a merced de un actor secundario sordo que puede partirlo como a una calabaza en un rapto de inspiración, dentro de poco todos comeremos cuellos de pollo y sobre nuestra miseria se oirá en el firmamento con fiereza la antigua carcajada de Jehová. Sumido en estos graves asuntos estoy a punto de alcanzar felizmente la desesperación, pero he aquí que en este instante un mosquito me acaba de picar en el tobillo. Trato de aplastarlo de un manotazo sin resultado alguno. El insecto vibra ileso en el aire, traza otra curva en torno a mi calcañar encaramado en lo alto de la barandilla y vuelve a la carga. Maldita sea. Un simple mosquito me impide pensar en Dios, en la OTAN, en el fin del mundo, en los cuellos de pollo y en los males de la patria. Me obliga a olvidar la destrucción general o el destino. Decido entablar una pelea desigual con este ser ínfimo y en medio del combate llego a la siguiente conclusión: basta con un mosquito para no sentirse desdichado, o lo que es lo mismo, para saborear la muerte se necesita un mínimo de comodidad. La orquestina nostálgica toca ahora Las gardenias de Machín, que se lleva la brisa. El insecto ha sido derrotado y yo puedo volver a pensar tranquila e impunemente en la bomba atómica.

Estaba leyendo bajo las palmeras del puerto las desgracias que suceden en el mundo y la brisa más dulce movía las hojas del periódico. Sentí mala conciencia. Esa brisa poseída por el salitre agitaba los peores crímenes de la humanidad y yo tenía delante un granizado. Hay que ser un escritor comprometido. Me gustaría reunir fuerzas más allá de la compasión para luchar personalmente contra la injusticia. Otros lo hacen. Otros intelectuales atacan al Gobierno, describen con absoluta náusea la carnicería de la antigua Yugoslavia, manifiestan su ira cuando en el lugar más apartado del planeta son pisoteados los derechos humanos, denuncian la corrupción, levantan un escándalo cada semana. En cambio, a mí sólo me conmueven los matices de oro podrido al atardecer en el espejo de la dársena; me gusta sentir el latido del tiempo en la savia de los árboles; trato de celebrar unas nupcias formales con los alimentos primitivos. Bajo esta clase de estética siempre se esconde la putrefacción, lo sé muy bien. Mientras sorbía un granizado de limón a la sombra de las palmeras, contemplaba la imagen de varios niños reventados por un mortero. La visión hedonista de mí mismo, allí felizmente sentado, me llenó de rubor; entonces tomé la decisión de escribir acerca del sufrimiento de los demás. Ésa es la misión de un escritor. Pero en ese momento se me acercó un señor desconocido y sonriendo me dijo: Si usted está interesado en comprar buenos melones le voy a dar un consejo, obsérveles antes la coronilla trasera, procure que ésta sea grande, eso indica que son dulces, de primera flor. Pasa lo mismo con los cangrejos. Las hembras son más sabrosas. Las conocerá por su forma redondeada de atrás. Los machos son puntiagudos. Gracias, le contesté. Y quedé pensativo con las páginas ensangrentadas del periódico en la mano. Quiero salvar mi conciencia. ¿Qué puedo hacer? Creo contribuir a la felicidad universal anunciando al mundo la fórmula de descubrir los mejores melones y cangrejos. Con esto hoy he cumplido.

Hasta aquí llegaron un día los fenicios en barcas de color almagra para comerciar con el oro, los salazones y la resina de incienso. Eran navegantes desnudos y tenían diosas de arcilla en cuyo vientre guardaban el vino o el grano, siendo por ello doblemente adoradas. Ese pueblo, que aprendió idiomas en la escuela de Babel, traía inscritos los signos del alfabeto en tablillas de barro, y con las quillas también grabó en la superficie del agua azul su amor a la libertad. Antes de perderse otra vez en el horizonte, los fenicios nos legaron la balanza y el espejo. Después los griegos engendraron el mármol, lo amasaron con la luz y, navegando hacia el acantilado de Denia, dejaron el fondo del Mediterráneo sembrado de dioses naufragados, de cofres llenos de dracmas que exhibían la imagen de tres delfines saltando. Tantas ánforas derramadas, como la sangre perdida en batallas que siempre fueron ganadas, trazaron un camino de púrpura sobre la mar. Luego

Roma nos deparó la ley, el caballo, el laurel y el arte del veneno. Nos enseñó a dormir de pie apoyados en la lanza, y así estábamos cuando llegó a Tarragona el Dios único, importado desde Judea por hebreos en un papiro. Entre ellos germinó también el cristianismo, y entonces la antorcha que ardía en la mano de Diana fue suplantada por una lámpara de aceite podrido. Los dioses hicieron mudanza. El Partenón se convirtió en iglesia, en mezquita, en polvorín. Del mismo modo, cada ermita blanca del Mediterráneo se levanta sobre un altar pagano y, con la edad, todas las ninfas se han visto de negro: son esas viejas que todavía se ven sentadas en una silla de enea a la puerta de casa. Sólo el alma de los moros valencianos sigue fluyendo en las acequias. Para ellos, la eternidad es el punto perenne del arroz. Ahora contemplo esta mar ineludible con las olas rebosantes de carne. Al parecer, después de tanta gloria, nuestra unidad de destino en lo universal consistía en ser Miami. En invierno, este litoral se ha convertido en un inmenso cocedero de abuelos, y en verano, esto se llena de caimanes.

Algunos valencianos, para examinar el punto exacto del arroz se ponen gafas de intelectual.

Cuando se sobrevuela a baja altura el litoral mediterráneo se pueden distinguir todavía muchos tramos de la antigua Vía Hercúlea, después llamada Vía Augusta, que bajaba a lo largo de la Tarraconense hacia Sevilla. Como el mar en algunas partes se ha adentrado en la tierra, el trazado de esta calzada romana a veces también se vislumbra con toda nitidez discurriendo por el fondo de las aguas, lejos ya de la costa. Los marineros de Denia faenan sobre esta alineación de losas calcáreas que aún contiene mojones de basalto y plintos sin estatuas, residuos de algunas aras votivas, y ellos ignoran que estas piedras ahora sumergidas fueron holladas un día por las sandalias de Aníbal, de César y de Trajano, pero saben muy bien que allí existe el mejor banco de salmonetes de toda esa latitud. Se crían entre esos pedernales sagrados y en la lonja se llaman salmonetes de roca, aunque en realidad son de calzada romana. Algunos navegantes del país están en el secreto, que sólo comparten con los iniciados. Yo no poseo ya otra ideología que el aceite virgen de oliva, y esta fe me ha enseñado que todos los alimentos naturales establecen un diálogo con el cerebro mientras son masticados lentamente, y ellos en ese momento te llevan a oscuras profundidades, a lejanas regiones. Cuando un pescador de Denia me invita a tomar los salmonetes que él ha sacado del mar arrastrando la red por la Vía Augusta pienso, sentado al sol bajo estos plátanos desnudos cuyas gemas ya revientan, que así en verdad se aprende la historia de Roma. Por el fondo de este mar han pasado los elefantes camino de los Alpes y también las cuádrigas de los centuriones buscando Cartago. Por el alveolo de estas aguas ha caminado Séneca, y ahora todas aquellas pasiones han quedado a merced de algunos peces significativos que mañana brillarán en algunas cajas de la lonja. Han hecho su carne rosada esforzándose entre los plintos de la antigua calzada romana y no hay que pagar un precio especial por ellos. Sólo se requiere desearlos un poco.

A Denia vinieron esta mañana, Raúl, Tito y la francesa. Mi mujer y yo les llevamos a navegar. A mediodía soplaba un garbino amable y la mar se mostraba rizada, muy femenina. Estaba prohibido hablar de política y también hacer la más mínima referencia a la crisis económica. A bordo sólo se podía mencionar a Zeus, el de los huevos de mármol, o cualquier cosa que nos recordara el placer. Un viento constante daba en las velas, que proyectaban a popa una sombra transgredida por una luz de azafrán, y aunque Raúl, que es de tierra adentro, tiraba de las escotas del foque como si se tratara de las riendas de una mula castellana, el barco obedecía al rumbo mientras Tito recordaba lances y amores de artistas. Hicimos una capa para acuartelarnos en alta mar y nos bañamos entre azules primordiales teniendo cada uno bajo los genitales setenta brazas de agua purísima, poblada de atunes. Al atracar ya se había establecido un lebeche violento con rachas de fuego y coronados por ellas comimos arroz y ensaladas en una terraza sobre el mar con un gato a los pies y un jilguero en una jaula colgada de una pared encalada. Después sobrevino una de esas siestas que te dejan las comisuras inundadas de baba, al amparo de las chicharras enfebrecidas por un viento que de pronto cambió a siroco. Ha sido un día africano pero lleno de sensaciones. Al final la tarde se fue haciendo dulce cuando la naturaleza ya estaba fatigada y entonces hicimos un poco de filosofía de piscina, con el agua a la altura del ombligo. Seguía estando prohibido hablar de política y de otras adversidades. Bajo el algarrobo había leche merengada y sandía. De noche devolvimos a nuestros amigos a Polop de la Marina, donde una banda municipal daba un concierto en la plaza. Sonó el pasodoble Paquito el Chocolatero a la luz de la luna y también hubo solos de bombardino y clarinete que la gente escuchaba en camiseta de imperio, tomando alcoyanos, un refresco de horchata y granizado de limón. Llegamos a la conclusión de que el fin del mundo podía esperar un poco.

En una mesa de al lado había unas adolescentes. Tres de ellas habían parido después de haber sido embarazadas por sus novios el verano pasado.

¿Conoces el país donde las palmeras sueñan? Allí también florecen los limoneros y por las ruinas los lagartos corren con jeroglíficos grabados en la piel. Allí los dioses que un día llegaron desnudos por el mar hoy son grandes mercaderes. A ese país quisiera llevarte. El mirto duerme en los barrancos. Mañana iremos a Elche para contemplar cómo la Virgen sube al cielo, pero antes tomaremos una paella a la marinera bien oreada por la brisa azul al amor de una parra. Bajo el yugo de un sol terrible las chicharras alicantinas cantan, los pedernales te ciegan y todos los perfumes agrestes se han desbordado. En Elche se celebra el Misterio. Después de degustar el sacramento del arroz haremos sobremesa en el Huerto del Cura, saboreando dátiles y café lentamente, y mientras nosotros hablamos de pecios, navegaciones o naipes, los ángeles, los apóstoles y los judíos se vestirán con túnicas y brocados de todos los colores y harán gárgaras con clara de huevo para cantar melodías que traen todavía cadencias de Bizancio en lengua catalana. A media tarde, en la basílica de Santa María de Elche habrá hispanistas muy europeos, políticos cultos, profesores de Harvard en año sabático entre el pueblo fervoroso y sudado que se dará aire a la cara con un abanico de frutas y en una penumbra de lámparas la Virgen morirá y entonces se abrirá la cúpula y sonarán voces intactas desde el siglo XIII, bajará una granada repleta de querubines para recoger el alma de Nuestra Señora y cantando se la llevarán hacia el techo donde la Trinidad estará esperando. Cuando termine esta ceremonia nos tomaremos unos langostinos y así llegará la noche con luna llena y de pronto comenzará el otro rito de la pólvora hasta convertir el

Mediterráneo en un aljibe iluminado. De regreso podremos interrogar al oráculo echándole unas bolas en un casino que huele a algas. ¿Qué haces en Madrid hablando todavía de política? Se te va a poner la piel de letrina.

En medio del temporal, sobre el Mediterráneo volvió a resplandecer brevemente la luz de moscatel que define los días maduros de septiembre, y durante ese interludio de sol algunos niños con chubasquero gritando buscaban caracoles en el barranco. Sus voces sonaban muy limpias en el aire recién lavado por la tormenta. Un olor a alga podrida, que era la bilis del mar, llegaba desde la cala donde la tempestad golpeaba purgando su vientre. Por un momento brillaron los pinos mojados, pero al mediodía oscureció de repente como si Dios fuera a expirar otra vez en el Gólgota y entonces comenzaron a llover peces con extremada furia. En el interior de esas tinieblas la radio había quedado encendida y, mientras los torrentes ya arrastraban los primeros cerdos ahogados, la voz del locutor ventosamente recitaba la lista de candidatos a las próximas elecciones. Cualquier pasión política o tumulto del corazón parecían sólo flato comparados con este desenfreno de la naturaleza. La historia de la humanidad es la historia de una cerilla, y sin duda Dios agonizó bajo una gota fría como ésta un viernes coronado de centellas en el otro extremo del Mediterráneo. Pero una vez muerto escampó y su cadáver se convirtió en una luz de moscatel sobre las ruinas. Eso sucedió ayer en Denia. Cuando la tormenta se fue, las entrañas del mar aún se oían y los niños regresaron al barranco para buscar caracoles entre las virutas de cantueso. Junto a los pretiles, alguna gente con botas de caucho observaba el nivel de las torrenteras, y en el puerto los marineros afirmaban los amarres de las barcas. En casa la radio aún pronunciaba nombres de políticos, aunque ya había salido el sol más dulce. Entonces llegaron gritando aquellos niños. Decían que en el barranco habían visto a Dios dentro de una charca donde se reflejaban las nubes. Pensé si ese Dios no sería la luz de septiembre en el Mediterráneo después de la lluvia.

Navegando frente al acantilado de Denia, cuyo perfil desde la mar semeja el humo de un ciprés dormido, uno espera a que el otoño madure un poco, antes de regresar a la ciudad. Quedan por aquí algunas berenjenas que asar todavía, ciertas páginas tenues que escribir mientras las garzas en altas formaciones pasan en dirección a Alejandría. No soy Virgilio, pero a Virgilio le sucedía lo mismo: cuando se quedaba sin inspiración, de repente todos sus héroes se detenían y entonces él con lentitud preparaba una transparente ensalada o un profundo guiso bajo el emparrado de su quinta. Con el cuchillo dividía bulbos como sexos. Al extraer del saco un puñado de lentejas experimentaba en la mano una sensación de terciopelo que luego le servía para describir el manto de la reina Dido. Ahora los estorninos también vuelan hacia el Sur llevando una aceituna en cada pata y abajo las granadas ya están casi maduras. Dioses, berenjenas, amores, lechugas, bancos de atunes, historias de viejos marineros por la tarde a la dorada luz de la dársena. La calidad de vida hoy consiste en no salir de casa: cultivar bien a cuatro amigos, volver a la bondad, compartir la antigua rebelión con el perro, vivir detrás de una tapia entre dulces lámparas y buenos libros pensando que la inmortalidad sólo dura hasta que de noche el sueño te acoge. No obstante, un día habrá que regresar a esa ciudad donde los últimos peldaños de algunas escaleras ya están fabricados directamente con cráneos humanos. Después de atravesar los rastrojos de la patria se verá Nínive ardiendo en el horizonte sobre yesares fulminados y uno deberá tener la pinza preparada. De las alcantarillas de Nínive emergerá ese negro hedor que se une al de ciertos cadáveres ambulantes, al de muchas palabras pronunciadas, pero eso no tiene importancia. Amo la democracia y sólo me pondré la pinza en la nariz para votar. Echaré la papeleta en la urna con la nariz bien tapada y dando media vuelta regresaré al espacio donde los dioses crecen en el interior de las berenjenas.

Mientras enhebraba en oro los versos de la Eneida en su villa de Nápoles, muchas veces Virgilio se quedaba sin inspiración, y en ese momento dejaba a un lado los útiles de escribir y se iba a la cocina a preparar aquella ensalada de higos y nueces con berros que tanto le gustaba. Considerar esa ensalada como la prolongación del verso más hermoso, allí donde éste fue interrumpido, es una señal muy refinada de la inteligencia. Hay una inspiración para crear y otra para vivir. Parece frívolo hablar de los arroces, anchoas y erizos que sin ser Virgilio cualquiera puede tomar junto al Mediterráneo en estos tiempos de desolación, pero tales sustancias no forman parte de una huida, sino de la teoría del conocimiento. Profundas eran las manos del poeta cuando pelaba dos dientes de ajo y los echaba a la sartén sobre el aceite virgen hirviendo. El verso se le había quebrado en un punto en que decía: «Arde la enamorada Dido y por sus huesos ha aspirado el furor». Virgilio no podía seguir. De pronto, el aroma del sofrito inundaba su imaginación y a instancias de un guiso muy sencillo que se estaba dorando a fuego lento el poeta tomaba pie de nuevo y comenzaba a cantar el himeneo de la reina de Cartago con un amante de Frigia. Dos versos insignes habían sido ensamblados por los jugos gástricos de Virgilio. Sin duda, este resorte secreto ha tenido que funcionar en muchas obras maestras, ya que el tejido de la vida, hecho de cazos, pétalos, sentimientos, legumbres e ideas es inseparable del pensamiento que nos subyuga y de la creación que nos enamora. Mi teoría es ésta: si no eres capaz de escribir la Eneida, puedes al menos preparar unas habas tiernas con virutas de tomillo junto al Mediterráneo, sabiendo que su perfume incluirá todos los versos de oro que se han urdido en esta orilla: existe una experiencia mística o poética por medio de los alimentos. Tal vez con ellos no alcances el paraíso, pero es un modo placentero de llegar al fondo del conocimiento: saborear un erizo de mar sin distinguirlo de Virgilio.

Una paloma torcaz zurea en el tejado, cantan varios gallos de la vecindad, en la mosquitera de la habitación está vibrando una luz malva. Amanece. Al otro lado de la barda suenan las tijeras de un belga jubilado que trasquila un enebro, y éste, al sangrar, perfuma el aire donde vuelan pájaros encendidos por su costado de Oriente. Mientras desayuno té con mermelada, las palmeras sin brisa permanecen extasiadas, y de la mar blanca, bajo un cielo también de harina, el primer sol extrae vetas de púrpura. Todo se halla preparado para otro día tórrido en que el calor despiadado podría servir de eximente si uno matara a alguien. No obstante, hoy me he propuesto ser feliz. En este momento la perra persigue por el jardín a una mariposa que se ha parado en lo alto de la yuca y yo me rasco la espalda por dentro del pijama. ¿Qué podría hacer hoy para redimirme? Me pongo a bostezar. Iré a comprar tomates al mercado, y allí, durante una hora, me detendré a analizar los matices de cada fruta reflejados en la carne lozana de las verduleras, y acogido por el perfume de los salazones a la sombra de los toldos que ciernen una luz de azafrán envolveré el pan con el periódico del día y luego navegaré hasta alta mar para bañarme en las aguas azules, y cuando me encuentre flotando sobre los destellos de diamante pensaré un instante en la belleza inmoral. De regreso, sin duda, en casa me esperará una ensalada de pimiento y berenjena con albahaca, un arroz con sabor a pescado y el fogonazo de una sandía contra la pared de cal. A la hora de la siesta, una brisa de yodo hinchará las cortinas de las estancias en penumbra y sobre el aparador estará el botijo de agua fresca, y un moscardón de oro zumbará fuera cabeceando a veces en el cristal. Al atardecer leeré algunas páginas paganas sentado en un blanco sillón de mimbre con un granizado de café en la mesa de mármol, y de esta forma esperaré a que lleguen las tinieblas del Mediterráneo, y entonces me pondré a contar en el interior de mi propia alma estrellas errantes sin esperar nada más.

Hay que visitar siempre el mercado antes que la catedral donde quiera que uno vaya. El conocimiento básico de la vida está en las voces que desde el otro lado de los mostradores jalean las frutas y verduras, el pescado y la carne descuartizada. Ésa es la enseñanza perentoria. En las ciudades de la orilla del Mediterráneo, algunos mercados son muy surrealistas: en ellos, los vendedores acaban por parecerse a los productos que venden. Esta transustanciación se produce ante la mirada de los parroquianos. Yo he tenido la suerte de verla muchas veces como en los cuadros del pintor milanés Arcimboldo, del siglo XVI, en los que los plátanos, melocotones, lechugas, lenguados, peras y cigalas se organizan de modo que representan figuras humanas. También en el interior de esas frutas y animales hay mares y paisajes en cuyo horizonte se divisa a las propias verduleras gritando.

Muchos de estos mercados centrales son de principio de este siglo. Por eso la mayoría han adoptado el estilo modernista, con hierros colados y vitrales, con florestas y diosas, derramando el cuerno de la abundancia.

—¿Qué quieres, amante?

—Un kilo de higos y dos berenjenas.

—Tómalas —dice la mujer, pasando esos bienes junto al volumen de sus senos antes de entregarlos.

—¿Y tú, cariño?

—Este pepino.

—¿Quieres que te lo pele?

En el mercado de frutas y verduras de Valencia se realiza todos los días el teatro más obsceno con sólo mirar la piel de las cosechas que los huertanos han traído de madrugada. Las pescaderas del mercado de la Boquería de Barcelona por la mañana van a la peluquería, se adornan con delantales almidonados y blusas con puntillas para atender los puestos y en sus manos hay joyas cuyos reflejos se confunden con el caparazón de los mariscos. Ambos mercados están situados muy cerca del antiguo barrio chino de cada ciudad. Una de las sensaciones más fuertes que conservo de Valencia se deriva de aquellas excursiones nocturnas por los alrededores del mercado central en los años cincuenta. Admiraba a la luz de la luna los monos de piedra, los capiteles esculpidos con escenas impúdicas en la fachada de la Lonja, y después, por las calles de Vinatea y el poeta Llombart, que olían a la flor más blanda de alcantarilla, me adentraba por los tugurios de rosa, donde había chulos muy pálidos, comidos de viruela, en la barra vigilando la carne femenina de su propiedad expuesta en la esquina mientras jugaban a los dados. El barrio chino de Barcelona era marítimo, canalla, con hedor a pescado podrido, pero el barrio chino de Valencia estaba inundado por todos los flujos vegetales que de noche llegaban de la huerta. No había marineros ni navegantes duros en los rellanos de las casas de prostitución, sino labradores solventes, faunos de regadío haciendo cola con la mano en el bolsillo del pantalón como si sujetaran por la brida a un caballo que quería desbocarse.

Todo tenía mucho candor entonces. Sobre tapetes de cretona raída echaba un parchís hasta la madrugada con una leona muy maternal, y por los huecos de las escaleras los gritos, en aquella época, subían y bajaban con una salud inenarrable, y en las salas de espera los clientes hablaban de cosechas de cebollas o de alcachofas mientras esperaban el turno para ocuparse con una ficha de latón en la mano. Tal vez esos mismos huertanos acababan de descargar el carro de labranza lleno de frutas y verduras. Y cuando algunas veces abandonaba el barrio chino, cerca del alba, pasaba por el mercado central, donde unas señoras limpias, saludables, hermosas valencianas, ordenaban ya esas mercancías en los mostradores, y la carga erótica me parecía irresistible al contemplar cómo aquellas mujeres tan sonrosadas acariciaban los rábanos, las peras, los higos, las lechugas, los plátanos. Cuando el primer sol iluminaba los vitrales modernistas del mercado, esas mujeres se confundían

Discutir el precio de la fruta en el mercado, discutir el precio del amor en el prostíbulo, dos ritos idénticos.

con sus propias frutas. Y lo mismo sucedía en el mercado de la Boquería de Barcelona. Las mangueras se llevaban por un momento la putrefacción de la noche, y sobre el caparazón de las cigalas y centollos amanecían unas señoras resplandecientes de joyas formando parte de la simetría del marisco.

Hay que visitar antes el mercado que la catedral si uno llega a cualquier ciudad del Mediterráneo en busca de la verdad. Sobre los mostradores de los mercados se ven los capiteles más antiguos. Algunos de ellos están labrados con cigalas y bogavantes auténticos, con misteriosas cabezas de cabracho. Otros no son más que pimientos acumulados, pirámides de manzanas o de tomates cuya piel se transforma en un mar y, a veces, en una figura humana. En aquel puesto de la Boquería de Barcelona había un montón de cigalas bajo el rostro de la pescadera. Ella me mostró una diciendo:

—¿Quiere que se la ponga derecha?

Pensé que la simetría era el ritmo de Pitágoras.

He recibido de mi amiga Pepa, la librera de Denia, los volúmenes en catalán que le había pedido. Al abrir la caja de cartón que lucía el anagrama de una editorial muy selecta, he descubierto que los libros de

Raimon Llull venían acompañados de un conjunto de hortalizas recientes. En el paquete había pimientos rojos, dos berenjenas, una calabaza, alcachofas, guisantes, tomates, dos kilos de habas, un racimo de uva moscatel. Para llegar a las obras de Llull he tenido que liberar primero este tesoro y al final sobre la mesa de la cocina han coincidido en un mismo alijo el Libro de maravillas y estas hortalizas, los Proverbios y unos nabos todavía húmedos, el Libro de las bestias y algunos rábanos llenos de nieve. Todos eran productos de la misma tierra. Ahora se ha puesto de moda la dieta mediterránea: tomar alimentos naturales, visibles, sin salsas ni erudiciones, aceite de oliva, verduras, legumbres, pescado, fruta, la pasta perfumada con hierbas silvestres. Todo el mundo habla de esta forma de comer, pero pocos atienden a una vieja manera de vivir que es la dieta moral del Mediterráneo: dejar que pasen dulces horas hablando con los amigos, saber que los mejores placeres se producen siempre un momento antes de traspasar los límites, aceptar el caos con naturalidad, descubrir la armonía de los números, adorar la superficie de las cosas, reconocer que la mujer sabe del amor mucho más que el hombre porque ella es la propietaria del vaso. Me he puesto a cocinar unas berenjenas y pimientos asados. Durante la cocción he contemplado los vitrales de la catedral de Chartres que ilustran el Libro de maravillas de Raimon Llull y en sus páginas he leído los diálogos que establecen entre sí algunos metales, algunos animales. El hierro habla con la plata, el león habla con la serpiente. Yo hablo con los pimientos y berenjenas que he desgarrado en el plato. Por el filo de la bercería cabalgaba el paje y preceptor Raimon Llull buscando el Santo Grial sin saber que el vaso lo llevaba en el regazo la doncella que le servía.

Existe un alimento sagrado en el Mediterráneo que no se ha movido desde el tiempo de los faraones. Sus ingredientes son humildes y esenciales: harina de trigo, aceite de oliva, sal de mar y una anchoa austerísima, desolada. Con estos elementos el dios Osiris, padre de todos los misterios, fabricó una coca o torta con sus propias manos y luego él mismo en procesión la llevó al horno de leña que ardía en los sótanos del templo primitivo de Tebas y durante la cocción los sacerdotes egipcios entonaron un himno de acción de gracias, según está escrito en el Libro de los rituales. Esta vianda aparece pintada en las paredes interiores de las mastabas de Menfis, en las tumbas del Valle de los Reyes y también fue hallada formando parte del templo de Tutankamon en un recipiente de oro junto a otros manjares que servían para cruzar la eternidad. Ahora yo la como dos veces por semana en Denia bajo la noche estrellada o a la sombra de una parra al mediodía deslumbrado por la mar, pero no olvido el largo camino que ha recorrido a través de la cultura hasta llegar a mi mesa. Esta pequeña torta o coca de pan con aceite y sal sobre la que se extiende el pez más ascético sustentó de forma primordial todas las navegaciones fenicias, estuvo presente en los banquetes de Minos en su palacio de Creta, fomentó el músculo de Aquiles frente a las murallas de Troya y dio resistencia al divino Odiseo, llenó el estómago de los profetas, jueces y patriarcas del Antiguo Testamento, se transformó en filosofía con los estoicos paganos y en un sueño de la mente con los anacoretas del cristianismo. No es más que un poco de harina, aceite, sal y una anchoa antigua. Esta coca se halla a ras de la naturaleza y hay que tomarla entre amigos que sepan degustar el refinamiento de la austeridad. Mientras se parte ese pan uno debe pronunciar palabras sencillas, y si habla de travesías por la mar o el amor la sobriedad de este sustento requiere que todo cuanto se diga sea verdadero, natural, de acuerdo con la humilde luz que despide en ese momento nuestro corazón.

Hoy he ido a la lonja del pescado a media tarde, cuando las barcas acababan de regresar. Se oían dentro los gritos de la subasta entre los charcos que dejaban las cajas de hielo y las mangueras. He comprado una escorpa para cenar, y allí mismo, en el muelle, un pescador me ha contado lo maravilloso que es ese manjar preparado con una salsa de Creta. La escorpa tiene una aspecto feroz, pero su carne sonrosada esconde una profunda delicadeza que sólo está al alcance de los iniciados. Se abre el pescado por la mitad y se asa a la plancha sobre sus duras escamas rojas y aletas espinosas: se le da la vuelta sólo un instante al final para dorarlo levemente; se toma después de rociarlo con aceite virgen de oliva que antes se ha dejado posar con un ajo macerado, limón y pimienta negra. El pescador me ha dicho que esta salsa la aprendió de su abuelo, el cual la había recibido de un marinero griego. Mientras preparaba la cena, en la radio alguien decía que el comunismo en el mundo había terminado, y en ese momento en la pared de la sala una salamandra acababa de engullirse el último mosquito y luego se había refugiado detrás de una fotografía de principio de siglo colgada en un marco encima de la consola. Ahora yo degustaba la escorpa contemplando aquella fotografía donde se mostraba un campo desnudo con viñedos y mar en tiempo de otoño. Sin duda era otoño, porque en ella había mujeres con sombreros de paja vendimiando, y en el fondo de la perspectiva se levantaba esta misma casa tal como era entonces: una masía solitaria con el secadero de la pasa y el pabellón de los aperos. Entre las vendimiadoras se veía al capataz que se hizo famoso en la comarca por un crimen de sangre. En la fotografía estaba junto a la muchacha que fue su víctima. Ambos había posado en aquella instantánea cuando llevaban el mismo serón de uva moscatel hacia la carreta y los dos sonreían. Luego el hombre la degolló. La radio sigue insistiendo en que el comunismo ha muerto: en cambio, la escorpa ha dejado el plato perfumado.

Para que la primavera no me destruya, tomaré mucho perejil, del cual sacaban la fuerza los califas. Están llegando ya los terribles días en que el polen de las flores puede derrotar al tipo más duro. Esos gérmenes invisibles que la naturaleza libera por este tiempo son un mal enemigo: llenan el cerebro de antiguas imágenes de felicidad y a la vez crean un gran vacío en las entrañas. La primavera no es sino un estado de ansiedad que cabalgando conduce a la puerta clausurada del paraíso creado siempre en el límite de la imaginación. El caballo se detiene ante la cerradura dorada, y ésta nunca se abre. No obstante, el paraíso existe, aunque uno debe ser muy humilde, puesto que para merecerlo

El perejil es el símbolo de la fertilidad. Por eso se regala en todos los mercados del Mediterraneo.

basta con no desearlo, pero hay que saber dónde se halla ubicado si uno quiere salvarse. No está allá en las lejanas dunas de carne enamorada que pueblan la memoria, ni en el sueño de esa valla publicitaria que se levanta sobre el vertedero, ni en el esplendor que se erige en el interior de los tigres. El paraíso perdido reside en la boca del estómago de cada uno, y sólo necesita pequeñas sensaciones, placeres suaves, ideas que se pueden acariciar con la yema de los dedos. Cuando el caballo piafando esta primavera derribe la puerta dorada que en el horizonte de arena has soñado, detrás de ella sólo encontrarás a un lego en una huerta cultivando perejil. Ése tal vez será tu doble más profundo que nunca habías desentrañado. También lo verás al fondo de la muralla, sentado en una mecedora blanca bajo una parra cuyos racimos lo van a coronar con la única gloria posible. Temblad, temblad, aquellos que buscáis la dicha, ya que por el aire anda suelto ahora el polen de las dalias buscando almas vanas para desarrollar en ellas las crueles abstracciones del amor. Yo sabré defenderme de la primavera. Contra la inalcanzable belleza, me aferraré al análisis de una rosa concreta; frente a la vida, me dejaré fluir como el agua pensando en las hormigas que me acompañan. Mientras tanto, tomaré mucho perejil como los califas.

Voy a trasplantar en el huertecillo de atrás un olivo que tiene mil años. Con una prensa antigua de forma rudimentaria, como hacían los fenicios, extraeré el aceite de cada cosecha para regalarlo a los amigos. El frasco será pequeño, de cristal tallado. Les pediré que lo usen sólo para untarse el sexo cuando así lo requiera un acto de amor excelso y también para su extremaunción, si se produce el caso. Con el resto podrán aliñar las ensaladas de más compromiso hasta la próxima recolección. Tal vez este olivo fue plantado durante los terrores del primer milenarismo por algún árabe que no creía en el apocalipsis, sino en la inmortalidad de la savia. Es un árbol todavía robusto, lleno de experiencia. A lo largo de los siglos toda clase de pasiones se habrán agitado a su alrededor y él se ha quedado siempre quieto dando fruto. Las filosofías pasan, los crímenes más intensos son incorporados a la cultura, pero el aceite de oliva sigue alumbrando con la misma luz. Bastan nueve aceitunas al día para sobrevivir a cualquier calamidad. Beberé su zumo con los amigos consciente de que un milenio va a circular por nuestra sangre. Alguna de sus virtudes quedará pegada en las arterias: la fortaleza de las cosas sencillas, la impasibilidad ante la muerte. Cuando este olivo nació la gente creía que el mundo estaba a punto de terminar. Por todas partes cundían rumores aciagos. Había pestes y matanzas: bajo aquella ignominia este árbol comenzó a crecer y su tronco se hizo poderoso mientras se levantaban igualmente las columnas de las catedrales góticas. Ahora pervivirá en mi pequeño huerto de atrás gracias a que hubo alguien que en medio de tantas zozobras hace mil años dejó a un lado el pesimismo y escogió en su lugar un esqueje. Contra la fuerza de su savia no ha podido ningún fanatismo. Infinitos gaznates de herejes han sido degollados desde entonces, como las ramas de este olivo han sido taladas. Al final de tanto dolor la humanidad sólo pare más dolor: en cambio este olivo dará un poco de sabiduría a mis amigos.

En la punta del espigón que se perfila dentro del mar hay un grupo de gente vestida de fiesta bailando alrededor de unas mesas cubiertas con manteles blancos. Las mujeres llevan mantillas con peineta, faldas negras de encaje, zapatos de tacón alto; los hombres visten trajes de marengo y corbatas plateadas. Al son de una orquestina que toca el pasodoble España cañí, esta cofradía del Mediterráneo celebra algún aniversario con un banquete allí en la punta del espigón, y aunque la distancia es larga, los golpes de brisa traen la música y parte de las risas hasta el malecón del puerto de pescadores donde las barcas están amarradas. Tiene este día de invierno una sonoridad extraordinaria que parece más profunda debido a la soledad en que ha quedado el pueblo. Ellos bailan junto a grandes despojos de comida, pero aún les quedan manjares, licores, tartas, frutas confitadas que se van a alargar durante la jornada mientras suenan las trompetas y los clarinetes. Están cerrados los bares de la explanada, y da la sensación de que todos los habitantes se han ido de este lugar hace muchos años dejando las hojas de varios otoños podridas en las mesas de las terrazas. También se puede pensar que ese grupo de gente vestida de fiesta en la punta del espigón lleva allí mucho tiempo comiendo y bailando. La bajamar ha adquirido una tonalidad de estaño en la vertical del mediodía, pero va tomando matices lívidos a medida que la luz declina y el ángulo de la tarde ya permite ver desde muy lejos con claridad todos los perfiles de aquel festín: los manteles blancos, los vidrios centelleantes, las sedas negras, las peinetas de nácar, las tartas de merengue, el metal de las trompetas. Aún seguía la música de pasodoble cuando el sol había incendiado el mar a la hora del crepúsculo. En ese momento apareció un niño corriendo hacia la fiesta a lo largo de todo el espigón. El niño gritaba a aquella gente lleno de pánico: Eh, eh, oigan, el mundo ha terminado, el mundo ha terminado, en el mundo ya no queda nadie. Sólo quedan ustedes. El niño corría desnudo hacia ese último baile de la historia.

El azar significa una cara determinada del dado. En ella no estaba grabado un número, sino una flor, y puesto que el vocablo es árabe, los jugadores que en la antigüedad apostaban en círculo bajo la mirada de Alá cuando arrojaban el dado en una encrucijada del desierto sabían que si esa flor se revelaba sobre la arena, cualquier camino que eligiera el jefe de la caravana sería favorable. Seis caras tiene el dado, pero siete veces al día cambia el corazón de los humanos, y cada vuelco que da esa víscera supone también una jugada distinta, una baraja nueva. El azar, o azahar, equivale a una flor y a un dado: ambos impulsados por los latidos de la sangre, marcan el destino. Hay que recordarlo ahora, en el tiempo de la epifanía, cuando el sol inicia la rueda. Muy pronto se van a manifestar las flores del almendro y de los prunos, que sin duda darán una gran cosecha de dados y naipes, con alguna reina de corazones colgada igualmente de las ramas. En medio de la iniquidad de este mundo están llegando ya los erizos perfumados por la mar, en las calmas de enero, y después, entre más flores y apuestas, subirá la savia desde el fondo de la tierra hasta llenar innumerables muslos de nácar, y todo irá bien si al echar el dado sobre el polvo ves abrirse los ojos verdes de las habas, que crecen mientras Dios muere y resucita en el primer plenilunio de primavera. Con el deshielo aparecerá el cuerpo de Ofelia hibernado en todos los valles junto a un juego de dados abierto por la misma cara donde estaba inscrita una rosa. La suerte es una mujer inconstante, pero siempre quedará alguien que quiera regresar contigo a Ítaca en verano, cuando los lagartos palpitan, aunque sólo sea navegando la sombra de una higuera bajo el sonido de las chicharras. Luego habrá que quemar las páginas amarillas que caen de los árboles, en compañía de las barajas usadas, y cubrir con las flores podridas de otoño los dados de marfil: entonces quedará tan sólo tu corazón latiendo, y cada uno de sus latidos será una jugada nueva.

La gran catástrofe se inició un día de primavera de 1994. No fue nada espectacular. Una de las ollas de hormigón de la central nuclear de Vandellòs comenzó a supurar cierta clase de humo color calabaza, y éste se fundió con la luz del crepúsculo. Esa misma noche vibraron las agujas, aunque la alarma sonó al amanecer. Se había producido un ligero escape radiactivo que no pudo ser controlado en ese instante, y nadie supo tampoco cómo detener la noticia sin crear más pánico todavía. La autoridad mandó cortar de momento el paso por la autopista, carreteras y caminos de esa zona del litoral mediterráneo, y también prohibió la navegación por aguas de la costa a esa altura, pero la orden nunca hubiera sido necesaria. Ni las personas, ni los animales, ni las mercancías han franqueado desde entonces en ningún sentido esa tenue barrera de neutrones, y ahora que han pasado varios años estoy sentado sobre una piel de cabra en la cumbre de la sierra de Espadán contemplando toda la desolación de la tierra, y mientras devoro raíces y saltamontes a semejanza del profeta más deslumbrado, descubro a lo lejos Benidorm deshabitado bajo el polvo, con sus discotecas llenas de hierba hasta la rodilla y todos los hoteles de esta orilla igualmente desiertos, cuyas puertas se hallan a merced del pestilente siroco que las bate. También llega hasta aquí el hedor de innumerables cosechas podridas en el árbol debido a la misma maldición. Nadie ha osado jamás desde aquel día comer una naranja u otro producto de la tierra que tuviera que atravesar el espacio radiactivo de Vandellòs, convertido en un cuello radiactivo de botella para millones de gentes y productos. Desde la cumbre de monte diviso la aciaga tierra de Valencia, donde ahora crecen los cardos borriqueros en el vestíbulo de los bancos. Y, no obstante, los científicos aún hoy afirman que el escape nuclear de 1994 fue algo sin importancia, pero seis años después, en el filo del milenio, yo voy vestido con una piel de cabra vagando entre las alimañas por el yermo.

Una memoria azul

Del Café Gijón a Ítaca

Sentado en el Café Gijón con un puño en la mandíbula, veía pasar la tarde por el ventanal y de pronto, llevado por el tedio, me puse a pensar en Ítaca. Imaginaba que la isla de Ulises ahora en febrero estaría soleada, desierta, con gatos dormidos en el muelle, las pensiones cerradas y las parras desnudas, pero sin duda allí por este tiempo los lagartos deshibernados estarían palpitando otra vez en los barrancos entre las virutas nuevas de anís y debajo de las piedras el veneno reciente llenaría las colas de las crías de los alacranes que se habrían hinchado como lo estaban haciendo ya las gemas de todos los frutales con la primera savia.

Madrid ya no tiene fundamento. Esta ciudad se ha quedado sin contenido, y yo mismo en el velador del café me acababa de tomar el pulso y creí que también había muerto. La tarde era amarilla. De pie, camino del lavabo, junto al túmulo, le pregunté a Alfonso el cerillero.

—Dime la verdad. ¿Tengo cara de haber fallecido?

—Nada de eso. Te veo la cara de siempre —contestó.

—Me voy a Ítaca —le dije.

—¿Se llama ahora así el retrete?

Antes de entrar en el lavabo contemplé reflejada en el espejo la vieja gabarra del Gijón repleta de supervivientes cuyos rostros eran la parte sólida del humo y mientras orinaba sobre el medio limón que había en la taza pensé en la decisión que había tomado. Quería emprender viaje a Ítaca. Tenía que hacerlo. Si estaba realmente muerto, lo mejor sería llevar yo mismo mi propio cadáver a esa isla de la Odisea para ver si resucitaba en primavera acompañado de los ajos tiernos y las habas. Salí del lavabo resuelto a navegar, aunque sabía muy bien que Ítaca podía ser también el retrete del Café Gijón. Había un largo camino de vuelta que recorrer por cualquier náufrago desde la mesa del primer ventanal hasta este urinario, apenas unos quince pasos, que podían ser relatados como un laberinto lleno de aventuras. Pero yo quería viajar de verdad a Ítaca en el transbordador que zarpa del puerto de Patras al oeste del Peloponeso y si la isla estaba ahora deshabitada, me bastaba con una sola habitación blanca que tuviera la persiana verde y que en el muelle hubiera una vieja vestida de negro, llamada Penélope, vendiendo pulpos secos.

En mi trayecto diario para llegar al Café Gijón había pasado por delante de Jokey a las cinco de la tarde cuando un par de ricachones flanqueados por sus respectivas panteras salían de ese restaurante de lujo. Y llevando los cuatro en el rostro la felicidad del cocido que se acababan de zampar, ahora se dirigían hacia el Mercedes que estaba aparcado cerca de los tres guardias con metralleta que guardaban la puerta del Ministerio del Interior. Había por allí otros cochazos en segunda fila, con algunos mecánicos y gorilas bostezando. De pronto, una de las mujeres lanzó un gritito de rata desde el fondo de su abrigo de pieles.

—¡Luis, Luis, no te acerques!

—¿Qué pasa? —exclamó el ricachón.

—¡Mira, mira a ese señor. Se está haciendo una cosa horrible en la boca!

Pegado a la puerta del Mercedes en el bordillo de la acera había un joven postrado o en cuclillas, pálido como un franciscano, con la calavera casi transparente y tenía la boca muy abierta ante el espejo retrovisor del coche, donde se miraba con los ojos casi líquidos mientras se pinchaba en el fondo de la garganta con una jeringuilla.

—¿Se puede permitir esto? —gritó el dueño del Mercedes.

—Por Dios, Luis, no te alteres. Déjalo estar. Tomemos un taxi.

—¡Eh! Oiga, oiga.

—Vámonos. No puedo ver esas cosas. Volveremos luego por el coche cuando ese hombre haya acabado —dijo una de las señoras.

El joven pálido ni siquiera volvió la cara. Los policías con la metralleta parecían cubrirle la espalda. Los otros gorilas y mecánicos contemplaron la escena en silencio y no hicieron ningún comentario cuando los cuatro clientes de Jokey pararon un taxi y se fueron. El joven pálido terminó de pincharse con parsimonia, recogió los bártulos, dejó la jeringuilla ensangrentada junto a una rueda del Mercedes y se alejó ligeramente ladeado. Al pasar por mi lado me miró con la linfa amarilla y yo me quedé pensando que los drogadictos son los nuevos castizos de Madrid. No se sabe qué es peor, si encontrarse en la puerta de un restaurante de cinco tenedores o de un VIPS a unos cuantos yonquis de guardia, que son los modernos descendientes de san Francisco de Asís, o tener que soportar todavía en esta ciudad que la tuna compuesta de alegres cuarentones con refajos de terciopelo te toque la pandereta en el cogote mientras devoras un cochinillo en un figón donde sentó sus posaderas Hemingway, aquel escritor tan sangriento cuyo nombre hoy se ha convertido en una marca de turismo.

Junto a la Audiencia Nacional, un grupo de perjudicados de la colza, alguno de ellos en silla de ruedas, entonaban canciones regionales de protesta contra los jueces. Primero metían un enorme estruendo con latas y cacerolas; después se ponían melosos y cantaban a coro esta tonadilla: eres alta y delgada como tu madre, morena resalá, como tu madreee. Y los guardias armados con metralleta frente a ellos bostezaban. Al pasar por delante del Museo de Cera, en la esquina de

Colón, tuve que saltar sobre la gran manta que unos rusos tenían extendida en el suelo llena de medallas, condecoraciones, gorras de general soviético y latas de caviar. Los rusos disputaban el territorio a unos indios peruanos que exhibían un mercadillo de franelas, ponchos y zamarras. En la boca del metro, un negro vendía polluelos pintados con varios colores, verde, granate, azul, y los animalillos piaban dentro de una caja de cartón que exhibía el anagrama de un ordenador marca IBM. Yo tenía el pensamiento de viajar a Ítaca.

Hasta hace poco iban las niñas por las calles de Madrid agitando una cabeza de negro o de chino el día del Domund y la gente metía unas monedas por la raja del cráneo; poco después de satisfacerse en esa caridad, la gente de orden tomaba gambas al ajillo en los bares de Serrano a la salida de misa. Entonces esta ciudad tenía un contenido. El fundamento de Madrid en tiempos de Franco eran aquellas gambas al ajillo que tomaban los ex combatientes, los del sindicato, los honrados padres de familia, los estraperlistas.

—Compre un pollito, compre pollito al negro, señor —me dijo el negro propiamente dicho.

—¿Y qué hago yo con un pollo vivo en la mano?

—Puede jugar niños o comer frito.

Ahora la gente de orden saca el revólver del 38 y a un negro que huye con el bolso de la señora le abre un ojal en la cabeza que no es de cerámica, sino de hueso crujiente, y el juez de guardia pone en libertad sin fianza al padre de un campeón de rallies que ha disparado por la espalda a un negrito del Domund que volaba. A esta clase de tiradores de ventaja, los vaqueros del Oeste en la cantina le echaban el whisky a la cara, pero Madrid ya no tiene fundamento. A los negros les quieren meter la limonada de plomo en el cráneo con un revólver. También aquellos chinitos del Domund han cambiado. Ahora controlan en Madrid diversas cadenas de restaurantes donde se sirve espuma de plástico prensado después de haber sido utilizado para embalar televisores. Ningún chino muere si no es de puñalada. Ningún descendiente de aquellos pequineses o malayos cuya cabeza de cerámica era paseada por el barrio de Salamanca por unas niñas con lazos fallece ahora de muerte natural. ¿Alguien ha visto alguna vez el entierro de un chino en Madrid? Pensando en esta forma de inmortalidad, antes de entrar en el Café Gijón me acerqué a la agencia de viajes Wagons Lits en el paseo de Recoletos para que me enseñaran algunos folletos de las islas jónicas. Una chica me ofreció algunos prospectos azules, pero en ninguno se veía Ítaca.

—No me suena esa isla —dijo la dependienta—. Y si no me suena es porque allí no quiere ir nadie.

—Yo quiero ir a Ítaca.

—Un momento, que tengo el coche en segunda fila —exclamó la chica antes de salir corriendo.

Había un gran atasco en todo el paseo de Recoletos y dentro del clamor de los pitidos aún se oían las blasfemias de los conductores que sacaban la cabeza por la ventanilla para maldecir a un autobús atravesado y una ambulancia trataba de poner el morro entre dos furgonetas abriéndose hueco con la sirena. Mientras el caos sucedía en la calzada yo miraba folletos azules con cruceros e itinerarios por las islas griegas. En uno de ellos había un mapa del mar Jónico. Al oeste del Peloponeso podía adivinarse una mota negra cerca de Kefalonia más abajo de Corfú mirando ya hacia Italia. Aquel punto no tenía nombre, pero existía. Tal vez era Ítaca. Cuando la chica de la agencia volvió de la calle me dijo que en esta época del año no había una ruta turística para viajar hasta allí; no obstante, si esa isla era real, la agencia podría proporcionarme un circuito a mi medida.

—¿Qué pasa en la calle? —le pregunté.

—El caos de siempre. Todo el mundo quiere ir al mismo sitio a la vez. Como usted. A un sitio que no existe.

—Todos van a El Corte Inglés —dije.

—Por lo visto, El Corte Inglés es Ítaca —contestó la chica.

Atravesando el caos de la tarde llegué al Café Gijón, y en la esquina de la calle del Almirante, al pie del semáforo, me encontré con la ciega que lloraba. Hace tres años, la primera vez que la vi sollozar de forma tan desconsolada se me encogió el corazón. También entonces como ahora daba furiosos bastonazos contra el bordillo. Lloraba porque la habían robado. Lo decía entre imprecaciones severas, llenas de rigor. Le ofrecí con ternura las 2.000 pesetas que los malvados le acababan de arrebatar. La ciega hoy sigue llorando. Todas las tardes al pasar por su lado descubro gente nueva de buen corazón que me ha sustituido en la caridad.

—Maldita ciudad esta que atraca a una pobre ciega —decía ahora la señora de turno muy compungida—. ¿Cómo ha sido, cuénteme?

—¡Me han robado, tenía 5.000 pesetas y me las han quitado! ¡Se han llevado también los cupones!

La ciega tiene un chulo que le pega bofetadas allí mismo a la luz del día. Ella está severamente dañada por la droga que ha hecho estragos en su cuerpo y durante mi itinerario al Café Gijón he comprobado cada cierto tiempo cómo iba subiendo el nivel de su ruina física a medida que los peatones compasivos la remediaban. Esa tarde, la escena había adquirido un estertor muy violento, puesto que los gritos desesperados de la invidente se unían al fragor del atasco general que expresaba toda la ira de la ciudad. Un caballero se había encargado de hacer la colecta entre los curiosos.

—A ver, para esta pobre ciega que la han robado, 1.000 pesetas.

—Tome, hija.

—Ahí van 2.000 —decía una dulce ancianita.

Cuando entré en el Café Gijón, el cerillero Alfonso me comunicó que la ciega esa tarde ya llevaba recaudados tres salarios mínimos, más que él en todo el mes con el taquillón de loterías y tabaco. Me senté a la mesa del primer ventanal con el puño en la mandíbula para ver cómo pasaba la vida. Comencé a imaginar que Ítaca en este tiempo estaría deshabitada a merced del sueño de los gatos dormidos en el muelle y entonces pensé que el retrete del Café Gijón del que me separaban unos quince pasos también podría ser la patria de Ulises. Ese camino podría ser muy largo, lleno de experiencias y aventuras. Si ahora me levantaba para ir al lavabo podría encontrar a Circe o a Calypso o tal vez a Polifemo.

Desde la mesa del ventanal contemplaba el trayecto. En esa travesía veía al general retirado que sin duda le contaba lejanas batallas a la astróloga, y ésta, que estaba empeñada en hacerle la carta astral, escuchaba mientras le leía la mano. Un pintor borracho se había puesto a cuatro patas y ladraba como un mastín a una vieja poetisa tratando de enamorarla. Una serie de máscaras llenaban la barra. Allí estaba el puto que podía ser Telémaco, las sirenas eran tres peluqueras de Jaén, el estrecho de Caribdis y Escila lo formaba el paso que hay entre el túmulo y el mostrador donde había una serie de maderos del naufragio con un vaso de cerveza en la mano. Tenía distintas islas de Ítaca que escoger. Podía ir simplemente al lavabo. Podía seguir caminando por Madrid hasta que la ciudad me revelara un nuevo sentido. Podía también viajar a la Ítaca cierta de Ulises en el mar Jónico para encontrar lo que en ella quedaba de mí.

Desde el Café Gijón, al caer la tarde, me fui al garito, y sin duda era viernes, aunque al llegar allí ninguno de los jugadores lo sabía. La timba de póquer había comenzado el lunes a esta misma hora y aquellos burlangas, después de pasar insomnes cuatro jornadas seguidas, habían perdido la noción del calendario e ignoraban también si en la calle era de día o de noche. No obstante, en la moqueta y en los sofás había algunos caídos en combate que roncaban habiendo sido previamente desplumados. Dormían como angelitos unos tipos de más de cincuenta años con el brazo tatuado con una serpiente.

En Madrid funcionan cinco o seis garitos de esta índole pero ninguno tiene la calaña tan dura como este tugurio situado en la trasera acolchada de un almacén de la calle de Leganitos. Allí estaban jugando ahora la partida de chiribito unos seres no del todo patibularios, un revendedor de coches, un gitano chatarrero, un representante de pantalones tejanos, un vendedor de electrodomésticos, un perdulario de la abogacía, un comandante retirado y gente así, aparte de los tahúres profesionales de la casa. La timba corría a modo de un tren suburbano por los intestinos de la ciudad sin destino final, y cualquier cliente podía subir y apearse en un punto del trayecto totalmente arruinado o con los bolsillos repletos de billetes.

—Ahí fuera ¿es de día o de noche? —me preguntó Daoiz al verme llegar.

—Está oscureciendo —le dije.

—Si consigo recuperarme, te llevaré a ese sitio. Estoy perdiendo dos millones.

En ese convoy de largo recorrido sólo el crupier, con su mirada de búho, un poco arañada de sangre, parecía ver los naipes bajo la humareda; los demás jugadores tenían los ojos en la mandíbula y ésta les llegaba al ombligo y éste les caía sobre las rodillas, pero las rótulas las tenían entre las patas y aun así se jugaban las pestañas con una agresividad pura, sin sueño alguno. Cada jugador era un cuadro de Picasso de la mejor época. Yo había ido al antro de Leganitos a pedirle a Daoiz que me llevara, según me había prometido un día en el Café Gijón, a esa partida de cané que juegan de madrugada legionarios, presidiarios y taxistas en el sótano de una carnicería de Legazpi, donde los puntos lo último que apuestan allí es la navaja, su instrumento de trabajo, después de haber envidado los propios restos mortales.

—¿Por qué tienes tanto interés en que te maten? —me dijo Daoiz, que en ese momento tenía sin darse cuenta dos cigarrillos en la boca, uno encendido y otro apagado.

—Quiero encontrar la sustancia de Madrid. Estoy buscando una salida en este laberinto para volver a Ítaca.

—Hablas como un poeta. No creas que tiene mucha gracia —exclamó este tipo que iba a ser mi guía.

—Entonces, ¿qué hay que hacer para ser digno de una buena puñalada?

—Nada. En esa partida de cané o de dados pueden darte un navajazo sólo por tener los ojos claros.

En la timba de Leganitos entró en ese momento en una silla de ruedas la marquesa de ochenta y tantos años, elegantísima y completamente disecada, con su maravilloso esqueleto adornado con joyas de Bulgari, y era conducida por un secretario de gris y servida por un indio peruano, atento a cualquier expresión de su rostro. A la marquesa sólo le quedan fuerzas para levantar con los huesos de la mano una pareja de ases, y cuando el azar se los concede entonces envida medio millón de pesetas con un hilo de voz que llega desde el más allá. La marquesa se sumó a la timba después de que los criados la hubieran llevado hasta el tapete verde en volandas sobre un almohadón, y en ese breve camino tuvo que pasar por en medio de un quincallero asesino y de un tal Aniceto, que blasfemaba por la mala suerte y que estaba arreglando cuentas con el gerente de la casa. Entre aquella gente pasó la marquesa con una elegancia soberana sin pestañear en absoluto. Ella tampoco movió un párpado aquella madrugada en que fue asaltada a la salida del garito por un par de sujetos con pasamontañas y que resultaron ser dos guardias civiles briagos fuera de servicio. Hoy ya es el único cadáver en el mundo que sabe jugar al póquer.

Ahora, en presencia del tal Aniceto, propietario de un establecimiento de paños, titulado Pañerías Aniceto, en una capital de provincia, un duro con el pelo injertado, representante de una marca de lejía, se quejaba ante el gerente del garito.

—Dile que me pague algo, joder. Al menos que me dé un millón, que yo también pago cuando pierdo.

—Deja tranquilo a Aniceto, cojones. Déjalo tranquilo de una vez, que el hombre lo está haciendo bien —decía el gerente, que vestía traje a rayas, camisa negra y corbata blanca.

—No me iré de aquí sin cobrar. Le acabo de ganar tres millones al robi y aquí puede pasar algo si éste no me paga —comenzó a gritar el representante de lejías.

—Tranquilo, hombre, tranquilo. Aniceto ya ha vendido su piso de Ciudad Real y ha hipotecado las pañerías. Tiene voluntad. Lo está haciendo bien, cojones, déjalo estar. ¿No es así, Aniceto? —inquiría el gerente con una sonrisa sarnosa.

—Así es, así es —murmuró Aniceto con el bigote a media asta.

Dicho esto, el hombre esquilmado se fue hacia un sofá raído, se dejó caer y no tardó ni medio minuto en quedar dormido con el nudo de la corbata en los riñones. Había llegado al garito el viernes de la semana anterior y durante toda la travesía del azar no había abandonado aquel recinto lleno de humo en seis jornadas hasta quedar absolutamente arruinado, él y su familia. Pero la partida de póquer continuaba viaje como un vagón de suburbano bajo un hedor a calamares fritos que salía de la cocina.

De noche, la ciudad es sostenida en pie por los que no duermen. Tuve que esperar a que Daoiz se recuperara un poco y esto no sucedió hasta después de tres partidas más, y entonces los dos salimos a la calle cuando ya en algunas esquinas se producía el primer embotellamiento de la madrugada a cargo de jóvenes bakaladeros que se tomaban el relevo a sí mismos al pie de las barras pasándose el testigo de un vaso largo de alcohol de la mano derecha a la izquierda.

—Quiero ir a Ítaca.

—No conozco esa cafetería —contestó Daoiz—. Hemos quedado en que vamos a la carnicería de Legazpi.

—Ítaca es una isla —le dije.

—¿Dónde queda?

—Es una isla griega, la patria de Ulises.

—Podrás ir si antes no te pegan un navajazo estos angelitos a los que vamos a visitar —me advirtió Daoiz—. Yo también sueño que estoy en una isla solitaria cuando me paso una semana sin dormir jugando al póquer.

Mientras bajábamos por la calle de la Montera hacia Sol, antes de llegar a la escena del moreno acuchillado, Daoiz me explicó que él había jugado partidas de póquer y bacará durante nueve días seguidos sin dormir en la peña Antoñete, un sitio muy cutre de Barbieri frente a los Canasteros, y en la peña Gallito, por la calle de Cartagena; en la boutique Buda, del aparcamiento de Santo Domingo; en el tiro de pichón de Somontes, en el Bellas Artes, en el casino de Madrid, en el Mercantil, en el Hogar del Segoviano, en casi todas las casas regionales y en los garitos de ahora. Y que lo peor de ese maratón consiste en pasar el tramo de las 24 a las 48 horas. Una vez superado este obstáculo, donde la fatiga se une a la culpa y ésta se confunde con el sabor de la ceniza en la lengua si vas perdiendo, uno entra en un espacio muy dulce, casi aéreo, y allí tu cuerpo permanece insensible, sólo con el cerebro excitado como una brasa. Se suelen ver algunos monstruos, unos pulpos gigantes cuando cruzas una especie de estrecho la primera noche, pero, si resistes, hacia el mediodía siguiente aparece un mar en calma muy azul que ya no acaba nunca. Le dije a Daoiz que acababa de explicarme la *Odisea* y él no sabía de qué le estaba hablando.

Al parecer, la reyerta de la calle de la Montera había ahuyentado a todas las prostitutas y tampoco quedaban bujarrones ni negritos que pasan la mandanga, salvo el moreno que estaba tirado en la acera bajo las ráfagas de las linternas de dos coches de la policía y un grupo de curiosos que lo rodeaba mientras agonizaba a simple vista. Hay navajazos que crean una gran soledad alrededor, de modo que la calle ahora estaba despejada. Como Daoiz y un servidor somos mayores de edad pasamos junto al moribundo sin volver la cara, aunque de refilón pude oír el comentario de un testigo que decía que el moreno había sido atacado por tres cabezas rapadas en una fracción de segundo. E incluso este narrador nocturno se lo estaba explicando a la policía con una imagen cibernética. Eran tres leopardos que habían aislado a un antílope de una manada que bajaba por Montera y se habían abatido sobre él y antes de que pudiera gritar ya no tenía garganta.

Como si se tratara de la reserva de fieras de Kilaguni, en Kenia.

Los crímenes suelen dar fundamento a una gran ciudad. Madrid ha adquirido mucha profundidad con la violencia, y aun así no sabría decir cuál es ahora su contenido. Aquel alcalde, tierno profesor que no era sino una víbora con cataratas, quiso dotar a esta ciudad de una mística socialista y desde arriba le impuso una fiesta continua. Los camiseros se convirtieron en filósofos y éstos se hicieron gastrónomos; los arquitectos creaban espacios lúdicos y en ellos bailaban los especuladores; los revendedores de solares se hicieron aristócratas y los poetas compraban acciones de Papelera después de consultar el índice Nikkei de la Bolsa de Tokio. Mientras tanto, a las tribus urbanas les nacía una cresta de gallo en el occipucio, y ésta era subvencionada por el Ministerio de Cultura. No obstante, Madrid entonces parecía tener sustancia: de las gambas al ajillo franquistas se pasó a las colas de los Alphaville, y éstas eran las columnas en las que se sostenía la modernidad. Ahora la sustancia de Madrid tal vez era la huida hacia dentro, la búsqueda de ese mar interior que todo el mundo lleva en el diafragma. Ya no hay límites para esa huida. Todos quieren salvarse y cualquiera se siente feliz sólo por el hecho de no pisar una mierda de perro en la calle.

Daoiz me dijo que la escena del asesinato le había abierto el apetito. Camino de Legazpi a esa hora de la madrugada del sábado pasaban coches cargados de música y la ciudad estaba sumamente dura: los mendigos palpitaban dentro de los cartones, por las aceras subían desde la estación de Atocha pandillas de mozalbetes que se sentían excitadas por los aullidos de las sirenas, y los seres más peligrosos eran los que se acercaban humildemente a pedirte limosna, pero no todo era terrible esa noche en el seno de la ciudad. Al llegar al paseo de las Delicias, en el fondo del túnel más oscuro apareció una luz rosada como la de un portal de Belén, y mi guía sabía muy bien qué era aquello, ya que el hambre le llevaba hacia allí. Era un obrador de pastelería y en ese momento los bollos creaban una nube de dulzura en toda la manzana. Daoiz conocía al jefe. Cuando éste abrió la puerta, ambos se reconocieron como burlangas de la peña de Antoñete y se dieron un abrazo. Pasé con ellos hasta la antesala del horno, donde trabajaban cinco o seis oficiales en camiseta de felpa y por todas partes había pasteles, tartas, cremas, sacos de azúcar, serones de harina y un calor edulcorado que yo asimilé al que podría haber en el limbo el día de mañana.

—Voy a llevar a este amigo a los dados de la carnicería de Legazpi —dijo Daoiz.

—No creo que eso funcione todavía —contestó el jefe del obrador al tiempo que nos ofrecía tartaletas de manzana—. La policía lo ha castigado mucho últimamente.

—Algo tiene que haber por allí.

—Yo me he retirado.

Sentados sobre unos sacos de azúcar, ambos burlangas comenzaron a recordar hazañas bélicas: aquella noche en que fueron asaltados en la peña de Antoñete por unos forajidos que llevaban unas recortadas y que creían que eran de fogueo hasta que hicieron saltar la cabeza del crupier. Los dos dieron carcajadas hasta el instante de despedirse. Después de tomar unos dulces seguimos con la boca hecha un tocino de cielo, pero al llegar al mercado de Legazpi el guía comprobó que en la antigua carnicería donde tantas batallas de dados se habían librado ahora había un taller de motos. No había nadie a quien preguntar a esa hora de la madrugada, pero aun así Daoiz me forzó a merodear por aquellas calles y yo iba muerto de frío y, puesto que no tenía otro objetivo, comencé a pensar en la forma de llegar a Ítaca. Sin duda allí habría un pequeño puerto de pescadores y una taberna donde unos viejos apacibles también jugarían a las cartas. Seguramente tendrían unas cuentas de garbanzos en un plato para contabilizar las partidas y los naipes estarían tan gastados como las manos que los usaban.

De pronto, de una de las bocacalles de Legazpi, por detrás del antiguo mercado, salió un silbido de rufián y enseguida vi que una sombra estaba haciendo señas a otra sombra y ésta obedecía. Nosotros les seguimos y ellos nos condujeron a un pequeño bullicio de gente que se movía en una esquina. Allí había dos furgonetas y dos taxis aparcados de tal forma que construían un cuadrilátero interior a modo de pequeño corral bajo el cielo estrellado de febrero y allí dentro había un círculo de individuos en cuclillas que jugaban al cané y estaban dispuestos como en una pelea de gallos, y todos tenían un fajo de billetes en la mano doblados cada uno con cuatro pliegues. Una farola dejaba ver los rostros con pinta de ex presidiarios.

—Vámonos. Ya los has visto —me dijo Daoiz—. Con una vez basta. No te acerques más.

—Es muy literario.

—No seas imbécil. Aquí puedes morir como un pichón. ¿Tienes un interés especial en que te maten? No creo que llegues a Ítaca si estornudas aquí.

Había gente insomne merodeando y hasta entonces yo no había visto nunca miradas de aquella clase. Esas partidas de dados y cané de madrugada en plena calle entre cuatro coches a filo de navaja constituyen el punto más duro de la ciudad. En el centro de ese laberinto sueñan los que nunca duermen, los que nunca llegarán a Ítaca.

Era muy suave la oscuridad del sábado en Madrid para las libélulas que pululaban alrededor de las Harley Davidson aparcadas frente al bar El Pirata, en la trasera del Ministerio de la Guerra. No hay que hacerse el duro siendo amo de una de estas motos plateadas: para agredir a otros basta con exhibirlas; la dicha de cabalgarlas impide ser más cruel. Reflejándose en sus manillares se pintaban los labios unas chavalas y en los tubos de escape también se miraban como en el estanque de Narciso algunos jóvenes no muy feroces, aunque llevaban la chupa claveteada. Después de asistir en una esquina de Legazpi a una partida de naipes entre ex presidarios, el guía me dejó otra vez en el Café Gijón cuando ya estaban desalojando a los últimos náufragos, pero aún me dio tiempo de meditar un momento sobre el limón del urinario antes de seguir el laberinto de otros bares. Comparado con aquella timba de navajeros a la luz de la luna donde la mejor baza de espadas era el pinchazo que te podían dar sólo por el hecho de haber estornudado, el bar El Pirata, a la espalda del Café Gijón, parecía una de esas peceras que tienen en la sala de espera los dentistas para que los pacientes se relajen mirando los peces rojos. El sótano era un fondo marino, y allí, en una bañera, había una sirena inversa, un tiburón hermafrodita con piernas de mujer junto a una calavera de turrón que presidía el cotarro. La clientela estaba saludablemente amarrada al licor dentro del remolino de la barra o rumiando su propia belleza en unos divanes de piedra.

El cerillero aventaba a una piara de cerdos de Circe por Recoletos.

En El Pirata sonaba una música digestiva. De pronto se apagaron las luces y sólo unas velas plantadas en una tarta iluminaron aquella gruta. Los muchachos se pusieron a cantar: cumpleaños feliz, cumpleaños feliz, te deseamos todos, cumpleaños feliz. Por lo visto, alguno de estos ángeles estaba celebrando el aniversario de su llegada a este perro mundo y sin duda sería el propietario de una de esas Harley Davidson aparcadas en la acera, y esto le confería un estado de gracia. Yo esperaba una noche dura en mi camino a Ítaca; trataba de descubrir a qué infierno había ido a parar aquella fiesta continua de los años ochenta que dio estructura nocturna a Madrid, pero en el primer bar encontré chicos saludables, muchachas de rosa, sin más complejos que el vitamínico, ginebra con tónica, dentaduras sanas, cabelleras rubias, la chispa de la vida. Al salir del laberinto de los garitos lleno de serpientes tatuadas en los brazos de los ex presidiarios fui a parar a una celebración de cumpleaños en el bar El Pirata y allí unas niñas muy dulces con pinta de cantar viva la gente como un coro de evangelistas me dieron un pedazo de tarta de chocolate y crema.

Mientras caminaba de madrugada por la ciudad no dejaba de pensar en Ítaca. Al día siguiente debería tomar el avión a Atenas, pero ahora iba hacia la plaza de Chueca y en cada esquina había un puerto en el que atracar. En la calle Barbieri está el suave nido Very Very Boys, todo azul y malva. En los taburetes de la barra había dos mariquitas sentados frente a frente y una penumbra edulcorada los envolvía. Uno de ellos tenía la bragueta sembrada de pipas de girasol. Las había extendido formando un corazón sobre sus genitales. El compañero las iba pellizcando una a una, se las llevaba a la boca y sonreía al masticarlas.

En la discoteca El Sol había otro cumpleaños. Se celebraba no sé qué de los Rolling Stones y el conjunto de la sala estaba tocando sus éxitos después de que el cantante se hubiera quedado en taparrabos. Toda la masa de cuerpos comprimidos bailaba sólo con los brazos frenéticamente igual que hacen esos jóvenes guapos que en la densidad de la Bolsa de Tokio o de Nueva York agitan las manos en el aire para cerrar operaciones o atrapar el último entero del índice Nikkei o Dow Jones. Allí un joven barbudo con el whisky en la mano se acercó para gritarme al oído en medio de estruendo parecido al de un cazabombardero.

—Mucho gusto en saludarle. Trabajo en el Banco Mundial. En el departamento que estudia eso del 0,7% para los países del Tercer Mundo.

—Encantado —le dije.

—¿Pasa algo con el Banco Mundial? —exclamó de pronto una chica muy joven que estaba dando brincos al lado.

—Nada, no pasa nada —contestó el barbudo.

—Ah, es que yo soy empresaria y me interesan esas cosas —gritó aquel

Yo parecía un inspector benevolente, un padre de aquellos muchachos.

hermoso ángel de la guarda moviendo las caderas y los brazos.

—¿A qué te dedicas? —le pregunté.

—Tengo una empresa de alquiler de teléfonos portátiles y también compramos negocios en ruinas para reflotarlos —contestó sin dejar de bailar—. ¿Y usted a qué se dedica?

—Yo he venido a esta discoteca a revisar el contador de la luz —le dije.

No hacía ni dos horas que había pasado por este mismo tramo de asfalto cuando una cuchillada de los cabezas rapadas había despejado la calle dejando tendido a un moreno degollado en la acera. Entonces iba en busca de la partida de dados que juegan los legionarios, taxistas y ex presidiarios en la jurisdicción de Legazpi; ahora la bajada de Montera ya había sido repoblada de nuevo con las putas de los portales, los lisiados menesterosos de amor que acudían a ellas, los bujarrones furtivos y todos los desechos que arroja hasta allí la pleamar al romper en la escollera detrás de la Telefónica y atravesando tanta gloria llegué al pasaje de Montera, 33, un bar de homosexuales donde volaban palomitas humanas en medio de una oscuridad fosforescente.

En el ámbito perfumado por tantas braguetas de caramelo sonaba música sacra; el Adeste fidelis navideño, un gregoriano mezclado con sonidos de bakalao, y el pinchadiscos llevaba el pelo blanco con trencillas cardadas y se besaba en la boca con otra libélula por encima del mostrador.

—¿Conoces Ítaca? —le pregunté a la palomita.

—¿Cómo no voy a conocerla si la llevo puesta? —contestó—. Yo siempre uso calzoncillos de esa marca. Compruébalo tú mismo.

—Déjalo —le dije.

—¿No te gustaría viajar al sur? Si quieres te doy una lección de geografía. Ítaca está aquí abajo. Mírala.

—Te creo.

A toda costa la palomita se empeñó en que yo viera la etiqueta y para eso se desabrochó los pantalones, dobló hacia fuera el elástico de los calzoncillos por detrás y allí había un sello con el nombre de Ítaca, algodón 100%. Recordé el poema de Kavafis mientras sorbía una tónica en el interior de aquel poliedro de espejos. Si uno va a Ítaca hay que pedir que el viaje sea largo, lleno de aventuras y de conocimientos. En ese momento un mariquita se multiplicaba indefinidamente en los vidrios y éstos devolvían su cuerpo troceado y a la vez esas partes de su naturaleza se unían a los demás cuerpos que habitaban en la oscuridad del recinto y todos juntos componían una rosa poliédrica de carne cuando un rayo láser pasaba por los espejos.

Aquellos calzoncillos de Itaca estaban confeccionados en China.

—El poeta Cavafis le hizo un hermoso poema a tus calzoncillos —le dije al mariquita mientras él tarareaba un aria de Norma.

—¿Cavafis? Me suena mucho. Ese nombre es una marca de perfume, ¿no es cierto?

—Cavafis dijo que hay que tener a Ítaca siempre en la mente, la llegada allí es tu destino, pero no se debe apresurar el viaje, mejor es que se prolongue por muchos años y ya viejo ancle uno en la isla rico con cuanto se ha ganado en el camino.

—Oh, ¿todo eso significa Ítaca? —exclamó el mariquita.

De madrugada las tinieblas de Madrid eran muy suaves y estaban enhebradas por las luces de neón de todos los antros, discotecas y bares de copas, y en cada uno de ellos los clientes te daban noticias de otros lugares de moda, como los marineros traían antiguamente las novedades de los puertos lejanos. Había que ir esa noche a Stella. Seguía estando bien el Palacio de Gaviria. No había que perderse el aire duro de Ales. La travesía de la noche tenía nombres que eran famosos, calas, abrigos, cabos, malecones de una navegación y el cuerpo de cualquiera que fuera a Ítaca, que tenía que pasar por fuerza como un madero de naufragio por el Torito de la calle de Pelayo, por Troyans de la plaza de Chueca, por Kiks, Morocco, Revólver, Caracol, Sirocco, Titanic.

En el Corazón Negro había muchos sofás y allí se lo habían montado de lánguido, una teoría de la vida espatarrada entre almohadones con flecos. En Stella había un tapón de gente que cubría la calle, chicas divinas entre motos rutilantes, guapos de La Moraleja en compañía de pavos reales, algún pez del mar del Coral que acababa de desembarcar acompañado por un cincuentón calvo, con chaqueta confeccionada a medida, camisa a rayas con el cuello blanco, corbata con pasador y pantalón con la raya muy marcada que le caía sobre los zapatos de tafilete con borlitas.

—¿Quién será ese pájaro?

—Un narcotraficante, tiene toda la pinta.

—¿Le conoces?

Un centenar de jóvenes trataba de entrar en la discoteca Stella y el guardián del paraíso, un mastodonte con la nariz aplastada y las orejas desabrochadas tapaba la puerta con el aspa de sus bíceps, pero aquel tipo que llegó acompañado por una tintorera bellísima de dieciocho años debía de ser un buen tiburón, puesto que el gorila les abrió la puerta de emergencia para que pasaran. Sentado en el capó de un coche yo miraba aquella juventud dorada como quien contempla un bello paisaje ya lejano. Su carne espléndida formaba la naturaleza de la noche y yo me sentía un inspector de la luz o del gas en todos los antros que visitaba. Mientras que la multitud de aves del paraíso pugnaba por traspasar la barrera establecida por el gorila en la puerta para llegar a la música candente que se desarrollaba en la oscuridad, yo pensaba que la belleza estaba en

Tantos Ulises, tantas Penélopes, tantos pretendientes en la puerta de Stella. Y yo sin poderle llegar a la suela del zapato a Homero.

otros cuerpos extraños, que mi suerte había pasado, y me daban ganas de llorar, pero al mismo tiempo pensé que había en algún lugar otra clase de belleza que estaba reservada a los viajeros. Tal vez eso era Ítaca, ese sueño de recuperar físicamente el esplendor en la memoria. Sin duda allí los días serían claros y las playas estarían desiertas ahora. Habría limoneros y hierbas perfumadas entre las breñas por donde escaló Ulises, y en los bares del puerto encontraría la bondad en los rostros de los marineros que contaban viejas navegaciones, y la alegría brotaría como una fuente interior con sólo quedarse quieto.

Había luna llena esa noche en Madrid y su luz era la misma que iluminaría la oscuridad de Ítaca. Bajo la luna de la ciudad lentamente caminé hacia la calle del Arenal y en algunos portales había bultos acribillados por la aguja, pero la noche tenía una suavidad casi íntima. Entré en el Palacio de Gaviria donde en lo alto de la escalinata me recibió un ser con alas de ángel y traje de ejecutivo. Bajo los artesonados de un salón del trono bailaban guapos y guapas; en otro espacio decorado como un incendio había maricones charloteando.

—¿Qué les daré a los hombres, además de asco y 10.000 pesetas? —decía uno muy excitado.

—Búscate un portugués. Son los que mejor lo hacen —le contestó el camarero mientras le servía una piña colada.

—Tampoco están mal los polacos.

—Demasiado duros. Los portugueses son más humildes.

Por todos los salones del Palacio de Gaviria había un conglomerado de chicas fascinantes y homosexuales que se reproducían en los grandes espejos y todo tenía un sentido de inocencia, ya que la esencia de la noche sólo consistía en adorarse. ¿Dónde podría encontrar la sima de la ciudad? En todas las bocas de metro y en los túneles de cemento había diversos estratos de mendigos, pero en ese instante todos estaban soñando en el paraíso. En uno de estos puertos me habían contado que lo más duro de la ciudad ahora se encontraba en el antro de Ales, en una costanilla por la plaza de Santo Domingo. Durante el trayecto, desde la calle de Arenal, tuve que dar limosna preceptiva a un sujeto que no sabía si venía a abrazarme o a matarme.

—No quiero hacerle daño —me dijo—. Necesito una ayuda. De lo contrario, me veré obligado a perjudicarle.

—¿Es un atraco?

—No es un atraco. Necesito ayuda. Démela.

—¿Qué quiere?

—Lo que sea.

Le di un puñado de monedas y el sujeto, en vez de pincharme, me dio un beso en la mano y en ese momento en mitad de aquel laberinto de fétidas alcantarillas comenzó a cantar un ruiseñor cuando aún

El beso y el cuchillo: el nuevo laberinto hacia Itaca. La nueva lotería de Ulises.

no eran las cuatro de la madrugada y yo me pregunté dónde estaría aquel pájaro, si no había un solo árbol.

Era un ruiseñor de asfalto. Cantaba en el alero del cabaré Ales. Llamé a la puerta y alguien abrió después de atisbarme por una mirilla. En la pista había un travestido disfrazado de faraona que berreaba flamenco y contaba chistes obscenos a un público de maricones de cuero, carrozas caracoleadas, jovenzuelos ambiguos que igual podían ser oficinistas del catastro como chapistas de suburbio, padres de familia de doble vida, funcionarios y camioneros y había en el suelo algunos charcos de alcohol con cristales rotos y en el aire reinaba un perfume gordo de pachuli un poco pasado, ya podrido, y no obstante aquella clientela reía con carcajadas de gran franqueza, pero otros estaban absolutamente serios metiéndose el rabo por los rincones. En el sótano del cabaré aún existía una cámara oscura para espeleólogos del amor más osados. Era una cámara de espejos. Estaba en la más cerrada tiniebla, si bien allí había dos tipos de guardia sentados cada uno en una esquina contraria y de ellos sólo se les veía la brasa del cigarrillo cuando lo chupaban y también la blancura de las córneas cuando miraban fijamente a alguien que pidiera sus servicios. Dentro de unas horas tendría que tomar el avión para Atenas. Había oído cantar que en Ítaca había una cueva llamada de las ninfas.

En la oscuridad ellas bailaban sobre el tesoro que allí había guardado Ulises.

No había conseguido quitarme de la nariz todavía el perfume a choto que imperaba en el cabaré Ales de Madrid, y tampoco se me había borrado la visión de su cámara negra, donde un par de príncipes de las tinieblas fumando en un taburete esperaba descerrajar el trasero de cualquier cliente que se lo rogara, cuando me encontré de pronto comiendo unos salmonetes y una ensalada griega en el restaurante Calypso de Patras, al oeste del Peloponeso. Sólo unas horas de viaje en avión separaban ambos espacios, y en los dos era el mismo sábado bajo la misma luna. En el puerto de Patras había un bar de copas que se llamaba Nausicaa; allí también los dioses recibían el amor por la espalda y no entré en ese tugurio, pero dentro sonaba la canción Georgia, de Ray Charles, cuya melodía llegaba hasta la agencia de viajes, abierta a la una de la madrugada, donde compré el pasaje para Ítaca en el barco Heptanissos, que significa siete islas.

Al día siguiente me despertaron unas palomas que zureaban en la ventana del hotel Astir, y al subir la persiana ellas volaron y entre sus alas vi por primera vez todo el espejo azul del puerto de Patras y mucha gente que caminaba por la explanada con traje de domingo. El barco zarpaba a la una de la tarde. Tomé, bajo los toldos de una terraza, un zumo de naranja que, sin duda, se habría cultivado en los campos de Argos; después anduve por la ciudad, un poco aturdido por un sol amabilísimo, llevado por la inspiración de mis zapatos Timberland, y de repente descubrí que en la puerta de la iglesia metropolitana una furgoneta estaba desembarcando varias tartas y bandejas de pasteles. Cuando entré en ese templo ortodoxo vi que una chica muy bella traía en los brazos un recipiente de plata con un paño almidonado lleno de migas y pasas, que repartía a puñados entre un grupo de fieles muy perfumados y encorsetados. Todos la felicitaban mientras comían de su mano, y una paloma que se había escapado del puerto iba picoteando en las alfombras los desperdicios, y volaba por el presbiterio alrededor de una pila de estaño que habían plantado allí junto a un cubo de agua humeante para la ceremonia del bautismo.

Hasta siete popes fornidos salieron de la sacristía ataviados con vestiduras rojas, azules, blancas, rosas y verdes, brocadas en oro. Los padrinos llevaron a una criatura al altar y los popes comenzaron a cantar sobre su blanda fontanela unos salmos con voz terrible durante media hora, y yo pensaba en la importancia que le daban estos clérigos barbudos al hecho de haber nacido. La criatura fue despojada de sus pañales y exhibida desnuda como un conejito en lo alto de los brazos del pope principal para que todos la vieran, y la gente rió muy feliz; luego le expulsaron a Satanás del cuerpo escupiendo saliva; la embadurnaron por completo con aceite y la sumergieron varias veces en la pila, y, entre cánticos, en medio de una densidad abigarrada de lámparas votivas, iconos y maderas talladas, le impusieron el nombre.

La niña se iba a llamar Penelopea. Tal vez esta criatura, a los dieciocho años, se matará en una moto o bailará en un antro del puerto con marineros italianos, o será una esposa abnegada y tejerá indefinidamente los sueños pero ahora era recibida por un coro de ángeles, arcángeles y serafines; siete popes la bendecían y todos comían pasteles en su honor una vez que había sido bautizada. Cuando el barco Heptanissos zarpó del puerto de Patras a la una de la tarde rumbo a Ítaca, en la cubierta yo imaginaba los infinitos caminos que esperaban a esa niña después de aquella ceremonia de iniciación y mientras atrás iban quedando los malecones, la nieve de las montañas y la silueta de la ciudad, todo diluido en el azul de la bahía, todavía mi mente olía a incienso, y dentro de ella sonaban los salmos terribles de los popes junto a los gritos de las gaviotas.

Ya en alta mar, vacié un botellín de whisky e introduje en él un mensaje escrito en una hoja de mi agenda. Puse: «Domingo 27 de febrero de 1994, camino de Ítaca, el sexo es el verdadero sur. Remite:

También puede ser ministra de cultura de Grecia o presidenta del ramo de textil para fabricar mangas de jersei en serie. Sin esperar a su marido.

Café Gijón. Paseo de Recoletos, 21. Madrid». Y por encima de la bandera de Grecia que flameaba en la popa del Heptanissos arrojé el botellín al agua. Había unas islas minerales en el horizonte y la tarde tenía una nitidez dorada que obedecía al anticiclón. La travesía duraría cuatro horas. Mientras tomaba un té en el bar, alguien me dijo que en el barco iba un español enrolado de camarero. Traté de dormir al sol en una butaca de la cubierta, a resguardo de la brisa, y durante ese tiempo se me fundieron los sentidos, pero en el sueño sabía que navegaba en un mar de calma y esta sensación no podía separarse de la dulzura que sentía en todos los cartílagos, y, aún dentro del sueño, si pensaba en cualquier desgracia, en mi pasado, en algunos crímenes, en el azar, en las esperanzas frustradas, en la miseria de cada día, todo formaba parte de la misma felicidad de la piel.

Cuando el sol había comenzado a declinar me encontré en cubierta a un camarero sonriente que estaba a mi lado esperando a que me despertara para decirme que el capitán del barco tenía el gusto de invitarme al puente de mando.

—¿Eres español?

—Soy argentino. Me llamo Carlos —contestó el camarero—. Hablamos el mismo idioma. Aquí somos hermanos.

—¿Estamos llegando?

—Dentro de poco vamos a atracar en Samo, el puerto de Kefalonia. Esa isla de enfrente es Ítaca.

Apenas había abandonado el sueño me encontré con Ítaca a estribor. Desde esa parte del sur parecía una isla deshabitada, un peñascal verde oscuro poblado de monte bajo que tenía dos cuernos unidos por un istmo a modo de cruasán, pero ahora el barco se dirigía a Kefalonia, unas cuatro millas náuticas a Poniente, una isla llena de abetos negros, muy alta, y yo estaba en el puente de mando junto al capitán Geróssimos Paxinos contemplando la maniobra de atraque. En Kefalonia desembarcaron mujeres de negro, hombres severos con sombrero y sin corbata entre un camión de caracolas, y subieron un pope, su pollino y luego la señora del pope. Por este riguroso orden, que al parecer es el ontológico, y luego también embarcó un camión cargado de chivos. Enseguida el barco zarpó hacia Ítaca, doblándola por el sur.

—Mi padre se llamaba Laertes, como el padre de Ulises. Mi hijo también se llama Laertes —me dijo el capitán—. Yo me llamo Geróssimos, o Jerry, como Jerry Lewis. He nacido en Ítaca. ¿Cuánto tiempo vas a estar en la isla?

—Unos días. Lo necesario para reconocerme —le dije.

—Ve a ver de mi parte al padre Teodossios, que vive solo en el monasterio de Katharón, camino de Stavros. Fue segundo oficial de marina y sirvió en este barco.

En cuanto el Heptanissos dobló por el sur el cabo de San Juan, comenzó a aparecer por la proa el fiordo que da entrada al puerto de Vathy, la villa de Ítaca, y pude comprobar que era el paraje más bello que nunca había visto, según me había asegurado el capitán. El timonel llevaba una viruta de espliego en la boca e iba rumoreando una canción mientras sorteaba los islotes poblados de cipreses que cerraban la prodigiosa bahía. A estribor había una rada angosta en forma de horca llamada Forkinós, que era la playa real donde desembarcó Ulises, pero el barco aún se adentró entre montañas por un canal hasta que apareció el puerto de Ítaca, con el pueblo curvado en el borde de una cala bellísima y absolutamente abrigada. En el barco también viajaba el alcalde de la isla, Spiros Arsenis, que se ofreció a ayudarme en todos mis deseos, según es la tradición de las gentes sencillas del mar Jónico. Juntos en el puente de mando asistimos a la maniobra de atraque y en el muelle había viejos ensimismados, un perro y dos gatos dormidos al sol, un niño con una bicicleta y un silencio que hería los oídos. Al desembarcar el camión de chivos, este silencio de pronto fue penetrado por un hedor a cabrío, y dentro de él pisé la tierra de Ítaca.

—Perdona que huela de esta forma —exclamó el camarero Carlos—. Este olor a chivo desaparecerá cuando se vaya el camión.

—No importa. Es un perfume maravilloso. Homero también olía a choto. Y ayer en el cabaré Ales, en Madrid, algunos homosexuales también olían así —le dije.

—Mañana Ítaca olerá a miel.

Después de dejar la maleta en el hotel Mentor, caí en el primer bar del pueblo cuando el sol apenas se había ido por detrás del monte Niritos, y en esa tarde de domingo allí había unas mesas con jugadores de cartas y, según la tradición de la cultura mediterránea, un gato se paseaba entre las piernas de aquellos viejos con gorra, que miraban absortos la partida de robi con el mentón apoyado en la empuñadura de la garrota. Dentro de un estatismo absoluto, algunos pasaban las cuentas del rosario de ámbar como quien rumia con las manos. ¿Necesitaban relajarse más todavía? Cualquier golpe de ficha de dominó contra el mármol resonaba en toda la bahía. Tal vez en el interior de esa paz había muchas pasiones ahogadas, muchos cuchillos dormían bajo un paño esperando su instante, pero aquella desolada tarde de domingo, por las callejuelas de Vathy todas las casas tenían un limonero cuajado, un huertecillo con olivos y jazmines, naranjos y parras desnudas. Estaba oscureciendo bajo la luna llena en la más estricta soledad y yo paseaba por el laberinto del pueblo y no sucedió nada, sino un pope que sacó una bolsa de basura de la iglesia de Santa María y se fue con su mujer y su hija en un Seat Panda. Ésa es la única hazaña que vi, pero en mi interior Ítaca iba madurando.

De noche, la misma luna que guió mis pasos por la carne oscura de Madrid estaba ahora en el fondo de la bahía de Vathy, marcaba los perfiles de los montes de Ítaca, iluminaba a un perro solitario, a otro pope, a dos viejas que cruzaron el malecón donde había unas barcas de pescadores varadas que contenían redes amarillas. Sentado en el pretil del paseo bajo una de las farolas azules, me tomé el pulso mientras pensaba en los amores, en los amigos, en todas las lesiones del espíritu que me había infligido el tiempo, en la ansiedad del diafragma que contenía un deseo imposible y de pronto creí que había fallecido ya hace muchos años y que la belleza de esta isla era el paraíso o el punto muerto que se alcanza con la perfección. Recordé las calles podridas de Madrid, el humo frío de los garitos, donde los tahúres se cosían con los ojos agrietados de sangre después de siete noches de insomnio y las cámaras negras de los tugurios llenas de ángeles con una dalia roja en el trasero. Creí que eso tal vez era el infierno real.

Después de pensar estas cosas me fui a cenar a la taberna Trehadiri, cuyo dueño, Gerrys Dorizas, que se parecía a James Cagney, hablaba un castellano que aprendió en aguas de Honduras. Mientras devoraba unos calamares, olivas y queso de cabra, se acercó a mi mesa un capitán de la marina, Panagiotis Koulombis, que gobierna un buque de la multinacional de frutas La Chiquita, y él pidió un café turco y comenzó a referirme historias de navegaciones. Los cuatro mil habitantes que tiene la isla de Ítaca están referidos a la mar. Todos viven de su espejo. ¿Qué sería hoy Ulises? Probablemente pilotaría un transbordador Heptanissos repleto en verano de turistas mochileros, o transportaría bananas en un barco frigorífico para los norteamericanos, como este capitán Panagiotis, que ahora me relataba su naufragio en África del Sur.

Ulises fue el cornudo más famoso de la Historia.

Cuando la luna que estaba en la ventana del hotel y en el fondo de la bahía se fue por el perfil de la montaña, comenzó a amanecer, y con la primera luz del día, puesto que el bar no había abierto todavía, fui ascendiendo por una calle de escaleras entre limoneros mojados por el rocío hasta una iglesia alta, y allí había un cementerio que se miraba en un brazo azul de la bahía. El silencio absoluto lo herían tintineos de cabras al otro lado del monte lleno de cipreses, los gorriones que alborotaban en los pinos y algún ladrido de perro. Entre las tumbas había cagarrutas y también aceitunas negras aplastadas por los pies de los deudos. Entre las inscripciones de los difuntos en los mármoles yo buscaba el nombre de Penelopea y no encontré ninguno. Tal vez la niña que bautizaron ayer aún no había muerto. Tenía un largo camino hacia Ítaca que recorrer. Después desayuné en una terraza del puerto de pescadores yogur con miel y té, mientras por el interior del sol dormido pasaba un gato, una vieja de negro y tres popes hablaban en una esquina. También cruzó el alcalde Spiros, que me deparó graciosamente un guía para que me enseñara toda la isla. El guía se llamaba Angelos, un viejo taxista amoroso con gorra y bigotón.

Por una carretera entre olivos centenarios, cipreses, pasto, flores y berzales, Angelo me llevó bordeando la bahía de Vathy camino del monasterio de Katharón, situado en un paraje alto que da a dos mares. El padre Teodossios estaba con sotana, jersey y delantal, botas, guantes de goma y gafas negras, trabajando en el jardín, con los peludos brazos de marinero arremangados. También llevaba un gorro de lana. A su lado, a pleno sol entre las arcadas enjalbegadas del patio, un gato dormía encima de un perro dormido y la puerta de la capilla abierta dejaba ver el cúmulo de iconos, lámparas, cuadros, plata abigarrada y candelabros, y de aquel interior tenebroso salía al aire azul un vaho de cebo dulcísimo para mezclarse con el perfume de las flores de la mimosa tan carnosas que este joven marinero retirado cultivaba en soledad.

—Le traigo saludos del capitán Geróssimos —le dije al padre Teodossios.

—Oh, gran hombre ese pelirrojo —contestó—. Yo navegué con él de segundo hasta que un día vi arder el mar.

—¿Vive solo en este monasterio?

—Vivo solo con dos perros, un gato, Dios, las flores, el silencio y la visión de la bahía.

—¿Dice usted que un día vio arder el mar?

Teniendo a los pies unas cagarrutas de cabra, el joven barbudo Teodossios comenzó a explicarme su historia, que también era el relato de una navegación interior. Los dos estábamos sentados bajo un ciruelo ya florecido y el gato aún dormía sobre el perro. Ulises también podría ser hoy este monje navegante que, de pronto, se rascó el pescuezo macizo y me contó cómo el fuego un día le salvó del naufragio.

Era de noche y se había establecido una tempestad en aguas del Jónico —dijo el monje Teodossios—. Navegábamos en medio de un gran desconcierto buscando abrigo en la bahía de Ítaca cuando de pronto una centella cayó en el púlpito de proa y algo comenzó a arder allí. Debido a la confusión de la oscuridad creímos que estaban ardiendo las estachas o los botes de salvamento. Yo era segundo oficial de a bordo y el capitán me envió a inspeccionar el daño bajo la terrible tormenta. En proa no sucedía nada, pero desde allí descubrí que el fuego estaba en el mar. De las aguas oscuras emergía un gran icono de la Virgen María rodeado de llamas y ni el oleaje ni el vendaval conmovían aquella hoguera dentro de la cual la imagen parecía alimentar el fuego que no se apagó hasta que no se fue la tempestad. Era la misma Virgen que un día también había ardido en este mismo lugar donde ahora se levanta este monasterio de Katharón, la misma imagen que se venera en la capilla.

El perro de este monje navegante se llama Jack y no se despertó cuando tuve que dar una zancada por encima de su tripa para entrar en la iglesia del monasterio y allí el fornido marinero, que en medio de una gran tormenta había sido llamado a la santidad, quiso enumerarme los portentos que la Virgen hacía en este monte de Ítaca y mientras su barba negra abrasada por la fe se agitaba tratando de imbuirme la salvación yo contemplaba los múltiples exvotos que rodeaban aquel icono prodigioso. Eran brazos, piernas, cuellos, corazones, hígados, ojos, riñones de seres humanos, en oro y plata, miembros que un día habían sido sanados por la Virgen y que ahora formaban una orla en torno a su rostro. ¿Qué parte de mí mismo, gastada o herida, podía dejar en Ítaca para que fuera reparada? Podía dejar la memoria para que Ítaca la volviera azul.

Fuera se escuchó el imponente rebuzno de un pollino y aquel trompetazo que se expandió por la soledad de dos mares fue tomado como señal para partir. Me despedí del monje Teodossios y en la misma puerta del monasterio él me regaló una pequeña rama del ciruelo florido bajo el cual habíamos estado departiendo acerca de la felicidad. Camino de Stavros, al pasar por el caserío de Anoghi había cipreses por todas partes menos en el cementerio que era marino. En mitad de la carretera dormía otro perro. La unión de los cipreses con los olivos en estas laderas de Ítaca se debía a los dioses y éstos también habían colaborado a la belleza del paisaje al colocar las cagarrutas en el sitio exacto. El aire muy fino se llevaba los balidos de las cabras hasta el acantilado y allí los mezclaba con la visión de la bahía.

Al llegar a Stavros paré en la cantina Faturos cuya dueña, de nombre Kasiané, una mujer ancha y amable, era amiga de Angelos y ella nos invitó a tomar una cerveza a la sombra de un pino de la plazoleta. Cruzó por delante un pope con hábito gris y barba blanca que traía una guadaña asomando en un maletín de ejecutivo mal cerrado. Después de una primera risotada, Angelos y el pope se abrazaron en una llave de judo a modo de saludo, volvieron a reír y siguieron forcejeando entre sí hasta que el taxista Angelos fue derribado y entonces el pope me dio la mano con una fuerza increíble, me partió dos nudillos y se presentó lleno de euforia en inglés.

—Mi nombre es Spiros Flokas.

—Está tan fuerte porque no trabaja —exclamó Angelos mientras se levantaba del suelo—. Ha desarrollado los bíceps sólo cogiendo dinero de los fieles y guardándolo en el bolsillo. Es el mejor ejercicio que se puede hacer con el brazo.

—Tómese lo que quiera con nosotros —le dije—. Quiero presumir en el Café Gijón de haberme emborrachado con un pope en Ítaca.

Bajo un pino de tronco encalado a la hora de comer Kasiané nos sirvió una carne y una ensalada griega, olivas, queso de cabra y aceite de Esparta, alimentos que fueron bendecidos con su mano de karateca por aquel elegido de Dios. Yo me acordaba de aquellas comidas de la niñez en el campo en las que siempre había alguien que tocaba el acordeón bajo un sol amable que uno se bebía lentamente como quien sorbe un licor muy dulce. Ahora en la radio también sonaba una música mediterránea que me llevaba muy lejos. Teniendo en la boca el queso de cabra empapado en aceite su sabor me hacía pensar que Ítaca no era en modo alguno el final de un viaje. Una vez que has llegado a esta isla de Ulises hay que seguir viajando hacia dentro del corazón en busca de la memoria y de la belleza sin rendirse nunca.

Después de comer llegué a Frikes, un pequeño pueblo de pescadores donde había una cala dormida con tres barcas de carena negra y unas redes amarillas. El sol dorado de las tres de la tarde extraía un olor a alga y a erizo del espejo de las aguas y en la colina había una torre vigía y un molino pero no vi allí a ningún habitante. Un poco más allá estaba la villa de Kioni al borde de una bahía encantadora y para llegar a ella tuve que bajar por un camino entre naranjos y olivos. El pueblo parecía también deshabitado. Dos gatos dormían en una acera. No obstante, se oía la voz de alguien que cantaba y atraído por esa melodía recorrí una callejuela que desembocaba en la arena de la playa y allí había un joven que estaba pintando con una lentitud infinita el nombre de una mujer en la amura de una barca varada. En la cavidad del monte sonaban más campanillos de cabra. En Kioni había una iglesia blanca y un bar que se llamaba Kafeneion I Abra. Cuando entré en ese viejo bar descubrí a doce personajes estáticos, hombres con gorra, cada uno sentado a una mesa de mármol, todos en silencio, incomunicados entre sí. Miraban fijamente la puerta. Parecían estar esperando a Ulises desde hace miles de años y sin duda alguna Ulises no era yo porque aquellos ancianos no movieron una ceja al verme aparecer en el vano de la entrada. Pasé al lavabo y frente al espejo imaginé el largo camino que tuve que recorrer desde la mesa del Café Gijón hasta este urinario donde también había medio limón en el fondo de la taza esperándome. En los quince pasos que separan el velador del primer ventanal del Café Gijón y su retrete estaban todos los viajes incluidos, todos los laberintos posibles si en el trayecto te pierdes en cualquier corazón y al llegar al destino la imagen que se reflejaba en aquel espejo, la de un hombre derrotado, era la misma que ahora me devolvía este espejo en el lavabo del bar Kafeneion I Abra de Kioni en Ítaca.

De regreso a Vathy, después de contemplar desde lo alto del acantilado la hermosa bahía de Polis, que conserva todavía intacto su primitivo nombre homérico, una rada con pastos donde había rebaños de corderos, me detuve en el camino cuando ya se divisaba al fondo el fiordo del puerto de Ítaca. Me senté en las raíces de un olivo milenario que formaban un trono y el sol se estaba doblando ya por los montes de Kefalonia, al otro lado del canal, y con los ojos cerrados me bebí su luz igual de dulce que el licor que había sorbido en Stavros. En el silencio micénico ladraba un perro y de pronto vino a visitarme una cabra. Por detrás de un ribazo apareció un pastor con una bolsa de hierbas en la mano y sin mediar palabra, sólo con una sonrisa y unos gestos que expresaban un lenguaje común y una bondad universal el hombre me ofreció una planta olorosa con todas sus raíces llenas aún de leche tierna e indicó que la llevara a mi jardín. Tenía que regarla durante nueve días seguidos. Me dijo que la planta pronto me daría las mejores hojas muy propicias para la circulación de la sangre si las tomaba en infusión o si hacía con ellas pediluvios en un lebrillo de barro. Yo había leído en la Odisea que en esta misma montaña la diosa Atenea bajo la forma de un cabrero se había aparecido a Ulises recién desembarcado en Ítaca. La diosa le mostró una gruta deliciosa que había cerca, consagrada a las ninfas llamadas náyades. Allí guardó Ulises el tesoro que le habían regalado los feacios, bellísimos trípodes, jarras de oro y hermosas vestiduras. El pastor me acompañó a esa cueva de már-

La planta ha arraigado bajo el cielo impuro de Madrid.

mol cuya entrada apenas admitía el tamaño de un hombre y dentro de la caverna sonaban gotas de agua en la oscuridad pero allí ya no bailaban las ninfas ni había ningún botín ni tampoco estaban los príncipes de las tinieblas fumando como en la cámara negra del cabaré Ales.

En el aeropuerto de Barajas unos taxistas estaban jugando a las cartas sobre el capó de un coche cuando llegué. Tuve que esperar a que terminara la partida de cané por la que habían apostado dos mil duros y entonces pude dejar la bolsa en el asiento delantero y llevando la planta olorosa de Ítaca en la mano el taxi partió hacia Madrid por la M-40 y yo veía algunos poblados de chabolas, descampados con cercas de bidones donde había concentraciones de tazas de retretes a pleno sol entre cardos y carromatos de gitanos y al fondo se iba levantando la ciudad de cemento bajo una capa de monóxido de carbono.

—Todavía no me ha dicho adónde vamos —exclamó el taxista.

—Lléveme al Café Gijón —le dije.

Al llegar al aeropuerto yo tenía todavía la última luna de Ítaca en la imaginación; recordaba las noches que pasé sentado en el pretil del malecón y el sonido de aquel saxofón que sonaba en la oscuridad. Un desconocido habitante del Vathy estaba aprendiendo a tocar ese instrumento. Al atardecer iniciaba la lección. Las variaciones se repetían una y otra vez a lo largo de la noche y el sonido de un único saxofón resonaba en el silencio de toda la isla de Ítaca. También imaginaba la travesía de regreso a Patras en el barco Heptanissos en una mañana esplendorosa y al capitán Geróssimos, pelirrojo como Ulises, que en el puente de mando me preguntó:

—¿Has visitado al monje Teodossios?

—Sí —le dije—. Me ha contado que un día vio arder el mar.

—Es cierto. Fue aquí mismo. Frente al cabo de San Juan. Sólo él vio las llamas ya que era el único que tenía fe.

Desde Patras a Atenas recorrí en un tren despacioso un túnel de limoneros, cipreses y olivos a lo largo de la cornisa del Peloponeso con el azul del golfo de Corinto a la izquierda y a veces el oleaje rompía contra las ventanillas, pero pasado el istmo el mar Egeo se puso al otro lado y comenzó el caos, las refinerías y el polvo de cemento de Atenas. Cuando llegué a Barajas seguía este destartalamiento general y viendo las lomas llenas de escombros y perros vagabundos que coronaban Madrid sólo era puro el pensamiento que yo traía de la gruta de las ninfas.

—Su cara me es conocida —dijo el taxista—. ¿Es usted escritor o algo así?

—Algo así —contesté.

—¿De dónde viene?

—De Ítaca.

—¿Y qué se puede hacer en Ítaca?

—Tomar el sol.

—Tenía que haber visto lo que yo he visto esta mañana. Podría escribir una bonita historia. Le llevo gratis hasta allí si me promete contarlo mañana en el periódico.

Desde la M-40 se veía toda la canallada de ladrillo que es Madrid y las dos pajareras inclinadas de Kio que yo imaginaba rebosantes de ratas. El taxista siguió hacia la carretera de El Pardo pese a que yo le había confesado que no tenía interés en conocer más asuntos de drogas, pero él prometió llevarme después al Café Gijón sin bajar la bandera.

—Esta mañana he llevado a un señor a ese descampado. Había más de cien drogadictos esperando a que se fuera la policía. Al fondo había una barra de gitanos en las chabolas, mujeres con criaturas en brazos. Tendría usted que ver cuántos Mercedes había en la cola.

—Haga el favor de llevarme al Café Gijón —le dije otra vez al taxista.

—¿No quiere usted verlo? Es lo más terrible que hay ahora en Madrid. Cuando esta mañana la policía se ha ido a tomar una cerveza de pronto todo un batallón de jóvenes cadavéricos se ha precipitado en las casas de los gitanos y yo he tenido que llevar casi en brazos por caridad a mi cliente hasta la cocina de uno de aquellos tugurios donde una matrona tetuda ha sacado del interior de una bolsa del pan que guardaba en el retrete la dosis de heroína envuelta en un plástico y una niña de unos diez años cobraba a los que estaban en la cola. Fuera se estaban pinchando todos en corro con la misma aguja que limpiaban con un papel de estraza y había por allí un muchacho sin dinero casi en estado de coma que le decía al yonqui del Mercedes: por favor, déme los filtros, me basta con los filtros para no morirme. ¿No quiere usted verlo?

—Lléveme al Café Gijón, por favor.

—Ésa es una bonita historia para un escritor que viene de tomar el sol en Ítaca.

El taxista dio la vuelta en la carretera de la Playa y entró en el paseo de la Castellana cuando el sol en ese momento también estaría bajando a la cima del monte Níritos en la isla de Ulises, este sol que allí era el primer bebedizo del mes de marzo. Ahora también en el paseo de la Castellana las ninfas pasaban de largo sin volver la cara. Un mimo cubierto de harina que yo había dejado en una postura inmóvil el día que salí de viaje permanecía en la misma postura sin agitar una pestaña en la plaza de Colón. Cuando llegué al Café Gijón estaba Alfonso el cerillero sentado en la banqueta del taquillón con la chaqueta de maquinista dormido en la misma actitud eterna y tampoco en la tertulia del primer ventanal nadie había cambiado el gesto. Me senté a la mesa con la bolsa de viaje a los pies y me tomé el pulso. Después apoyé la mandíbula en el puño y estuve así hasta el anochecer. ¿Tendría yo el aspecto de haber fallecido ya? Entonces miré otra vez hacia Ítaca. Junto a su espejo había un letrero que decía: Reservado el derecho de admisión. Apenas me separaban quince pasos de esa isla y en el camino había lotófagos que tomaban un bocadillo de chorizo en la barra, también había un pequeño territorio de los muertos y los pulpos gigantes de Escila y Caribdis estaban apoyados en el túmulo bajo la escultura de Ferrant con una ginebra en la mano y las vacas del sol aún permanecían echadas en el peluche rojo rumiando lejanas escenas de teatro de cuando eran artistas y Telémaco era ese mariconcillo que se miraba en el fondo del café con leche y Circe le estaba leyendo la carta astral ahora a un poeta desesperado y había otras maderas de múltiples naufragios. Polifemo con un solo ojo en la frente se debatía detrás del mostrador con la chaquetilla blanca. Los quince pasos que separaban mi mesa del retrete del Café Gijón contenían todos los viajes posibles si uno se enredaba por el camino en cualquier corazón. Finalmente me decidí a volver a Ítaca otra vez. Me levanté para ir al lavabo atravesando en unos segundos toda suerte de aventuras, y al llegar allí en el fondo del urinario me esperaba el medio limón que era la imagen del mundo. Medité un momento. Pensé: el sexo es el verdadero sur, la felicidad sólo está en una memoria azul de las cosas y de los seres que amas. Cuando me lavaba las manos en Ítaca observé que en la repisa del lavabo había un botellín de whisky vacío con un papel enrollado que tal vez contenía el mensaje de otro náufrago.

Este libro
se terminó de imprimir
en los Talleres Gráficos
de Unigraf, S. A.
Móstoles (Madrid)
en el mes de junio de 1994

TÍTULOS PUBLICADOS EN ESTA COLECCIÓN

AMOR AMÉRICA
Maruja Torres

¡QUÉ ESTAFA!
Eduardo Haro Tecglen

A FAVOR DEL PLACER
Manuel Vicent

VIAJE A LAS HURDES
Con facsímil del cuaderno
de campo de Gregorio Marañón

CUADERNO DE SARAJEVO
Juan Goytisolo

EL CONTENIDO DE LA FELICIDAD
Fernando Savater

LA VIDA DESNUDA
Rosa Montero

ARTICULARIO. DEXESILIO
Y PERPLEJIDADES
Mario Benedetti

FELÍPICAS
Manuel Vázquez Montalbán

DEl CAFÉ GIJÓN A ÍTACA
Manuel Vicent